しくじらない飲み方

酒に逃げずに生きるには

精神保健福祉士・社会福祉士
斉藤章佳

集英社

はじめに

この本を手に取ってくださったあなたは、きっとお酒が好きな方だと思います。ですが、飲みすぎだと言われたり、健康診断の数値の悪化や、酒癖の悪さを指摘されるなど、何らかの「しくじり」があって、ちょっと気をつけないといけないかな、と思っていたところではないでしょうか。医師からも、「お酒は控えましょうね」とか、「休肝日を作りましょう」などと、やんわりと言われたこともあるかもしれません。

では、「自分はアルコール依存症かもしれない」「このまま飲み続けていたら、アルコール依存症になるかもしれない」と考えたことはあるでしょうか。

答えは「NO」でしょう。

自分は「アル中」にはならない、と考えているはずです。

あなたは「アルコール依存症」と聞いて、どんな人を思い浮かべるでしょうか。

ほとんどの方は、中高年の男性で、仕事に就かず、昼間からカップ酒を片手に泥酔して暴れたり、路上で眠りこけているような人を思い浮かべるのではないでしょうか。

これらは「アル中イメージ」と呼ばれる、アルコール依存症に付与された典型的なスティグマ（負の烙印）です。「アル中」とは「慢性アルコール中毒」の略で、現在ではアルコール依存症という呼称を用いますが、「アル中」という言葉は、そのイメージとともにいまだに広く使用されています。

２０１６年に内閣府が行った調査では、「アルコール依存症やアルコール依存症者に対するイメージ」として、以下のような回答が多かったと報告がありました。

・酒に酔って暴言を吐き、暴力を振るう
・昼間から仕事にも行かず、酒を飲んでいる
・本人の意志が弱いだけであり、性格的な問題である
・飲酒にまつわる嘘をつく
・お酒に強い人は、アルコール依存症にはなりにくい

私は精神保健福祉士・社会福祉士として、現在は依存症治療の中でも加害者臨床と言われる領域で活動していますが、キャリアのスタートはアルコール依存症でした。私がこの業界で働き始めた約20年前は、外来で酔っぱらってくだをまく、先述のようなイメージ通りのアルコール依存症患者さんも多かったのですが、ここ最近ではほとんど見かけなくなりました。高齢化や若者の飲酒文化の衰退も相まって「静かなアルコール問題」が増えたように思います。

しかし長年の間に作り上げられた従来の「アル中イメージ」の弊害は根強く、いまだにアルコール依存症は、自分には関係のない一部の特殊な人がなるものとしてとらえている人が多いのです。

厚生労働省の２０１３年の調査によると、我が国のアルコール依存症者の数は約１１０万人で、ハイリスクな飲酒者群は１０００万人以上と言われています。同じく２００８年の調査では、問題飲酒で亡くなる人は年間約３万５０００人で、アルコール関連問題による年間の社会的損失額は約４兆１５００億円と試算されました。酒税は毎年1兆3000億円程度を推移していますので、酒を売れば売るほど損失が増えるということになります。

ここでいう問題飲酒による社会的損失には以下のようなものがあります。

・健康問題（高血圧・糖尿病・がん・胃腸障害・肝硬変・脳の萎縮・骨粗鬆症）
・事故（飲酒運転・酩酊《めいてい》中車にひかれる・駅での転落事故・自転車やバイクでの転倒）
・職業問題（遅刻・欠勤・早退・離職と転職を繰り返す・対人トラブル）
・家族問題（児童虐待・高齢者虐待・家庭内暴力・自殺）
・犯罪（殺人・強制性交・強制わいせつ・強盗・傷害・放火）

「事件・事故の陰にアディクション（依存症）あり」とは、依存症業界で働く臨床家であれば多くの人がうなずくフレーズです。私は新人の頃、よく先輩から「全てのケースの背景にアルコール問題を疑いなさい。アルコール問題に対応できるようになると手に職がつくよ」と言われました。今思えば、私は最初にこのアルコール依存症の治療に携わることができ、多くの患者さんやご家族に鍛えていただいたおかげでその専門性の目を養うことができました。つまりはそれほど、あらゆる問題の背景にアルコール関連問題がさまざまな形で存在しているということです。

20年近くアルコール依存症治療の現場を見てきて、ここ数年、患者さんが口にするお酒が確実に変わってきたことに気づきました。かつては安くてアルコール度数の高い焼酎や日本酒が彼らの好むお酒のメインだったのですが、それらに取って代わる存在、アルコール度数が9％以上の「ストロング系チューハイ」が登場しました。

フレッシュなフルーツが描かれた魅力的なパッケージに、甘くて爽やかな味わい。いかにも飲みやすそうなこのストロング系チューハイですが、実は想像をはるかに超えるアルコール量を摂取していることに我々は気づいていません。

2017年に放送されたNHK『ニュースウオッチ9』の特集では、9％のストロング系チューハイ500㎖には、テキーラのショット4杯弱と同量の純アルコール量（36g）が含まれると解説され、視聴者を驚かせました。全国どこのスーパーやコンビニでも手に入り、水より安い商品もあり、安くて・おいしく・すぐに酔える酒がほかにないことから一部の愛飲者からは「飲む福祉」「麻薬」「つらければつらいほどおいしい魔法の水」などと呼ばれています。

アルコール依存症も時代とともに変化していきます。本書では、アルコール依存症予備軍（プレアルコホリック）の増加とストロング系チューハイの関係、女性や若年層のアルコール問題、超高齢社会における高齢者の飲酒問題、断酒一辺倒だった依存症治療の変化、飲酒文化の背景にある「男らしさ」信仰についてなど、現代日本におけるアルコール問題や依存症治療について幅広く取り上げていきたいと思います。

今のままの飲み方で、お酒はあなたの人生のよきパートナーでいてくれるでしょうか。本書が、ご自身の飲み方を見直すきっかけになれば幸いです。

しくじらない飲み方
酒に逃げずに生きるには

目次

本書は書き下ろしです。

第1章

あなたの身近にもいる「お酒を飲みすぎてしまう」人たち

自分はお酒をよく飲むけれど、今のところ何も問題はない、昼間から仕事もせず、一升瓶を抱えて横たわっているおっさんとは違う……そのように思っている方も多いでしょう。

確かに「仕事はできている」「昼間から飲んではいない」「日本酒や焼酎は飲んでいない」、20代や30代なら「若いから大丈夫」で、問題はないと考えがちです。

当然ですが、生まれて初めて飲んだお酒でいきなりアルコール依存症になる人はいません。誰もが最初は、目の前の1杯に手をつけることから、飲酒が始まります。お酒が好きで好きで仕方ない、という人はむしろ稀《まれ》で、さまざまなきっかけからたまたまお酒を飲むようになり、耐性ができ徐々に飲酒量が増えていく……というパターンがほとんどです。

もともと体質的にお酒を受け付けない、という人でもない限り、当たり前に嗜《たしな》んでいたお酒が、「問題のある飲み方（問題飲酒）」に移行する可能性は誰にでもあります。

本章では、年齢も性別も状況もさまざまに異なる、アルコール問題の当事者となった方々を紹介していきます。

もしかしたら、身近にいる誰かの顔が浮かぶのではないでしょうか。

①ワンオペ育児中の母親が陥ったママ友ストレスからのアルコール依存

◉30代女性・Aさんのケース

3歳の男の子を持つ専業主婦のAさんは、夫が仕事で忙しく、いわゆる「ワンオペ育児」状態で、初めての育児に孤軍奮闘していました。夫婦ともに地方出身、東京で結婚したため、お互いの両親は近くにおらず、まだ現役で仕事をしていることもあり、なかなか頼ることができません。もともと真面目で他人からの評価を気にするタイプのAさんは、悩みを抱え込みやすく、育児本を読みながら、一人で子育てを頑張っていました。

Aさんは、幼稚園のママ友たちとLINEでつながっていて、十数人のグループLINEに入っていました。初めは、子育てや夫の愚痴を言い合ったり、誰かが「うちの子のトイレトレーニングがなかなかうまくいかなくて……」という相談を持ちかけると、「うちの子の場合はこうでしたよ」と返信したりしていました。

しばらくはうまくいっているつもりだったのですが、グループ仲間たちの夫の職業や年収、家庭の経済状況、子どもにはきょうだいがいるのか、何人産むのか、小学校はどこに行かせるのか、など絶対に触れてはいけない話題があちこちにあり、Aさんも次第に話を合わせることがストレスに感じるようになってきました。同じような境遇の女性同士で思ったことを正直に言い合えるゆるいコミュニティだと思っていたのに、実際はそうではなかったのです。

おそらくグループLINEでの発言が、誰かの気に障ったのかもしれませんが、はっきりとはわからないまま、いつからかグループ仲間から避けられていると感じるようになりました。そのうちLINEをチェックしなくなると、細かいママ友情報も入らなくなり、幼稚園での話題から完全に取り残されていきました。次第に、幼稚園に子どもを迎えに行っても、先生以外誰とも話さずに帰るようになったのです。

こうして、ママ友との付き合いに悩み始めた頃から、子どもを寝かしつけた後、寝酒のつもりで飲酒することが増えてきました。最初は、アルコール度数5％の缶チューハイ（350㎖）1本でした。

やがて、子どものお迎えの帰りに、一緒にファミレスに行って、お酒を頼むようになりました。子どもはお子様ランチを頼むと、おもちゃがもらえるので、それでしばらく楽しんでくれます。あとはYouTubeを観せておくと静かなのでずっとスマホを渡しておきました。その隙に、お酒を飲むのです。ファミレスなら、あまり罪悪感もなく、ワインやカクテルが安く飲めるので、徐々にその量も増えていきました。そして、そこで出会ってしまったのが、アルコール度数9％のストロング系チューハイです。アルコール度数が高いほうがコスパもいいと思い、気軽に頼んでみたところ、口当たりもよく、1本でふわっと高揚するような気分になるので、すっかり気に入ってしまいました。そのうち、家で飲んだほうが安いので、お迎えの帰りにスーパーマーケットに寄って、ストロング缶（ストロング系缶チューハイ）500㎖を3本買い、家に着くとすぐに飲酒するようになりました。

ある日、夫が大量の空き缶に気づき、驚いてAさんを問いただしました。その瞬間、Aさんは、ふっと糸が切れたようにその場で泣き崩れ、これまでのことを全て夫に話しました。この頃のAさんの飲酒量は、ストロング缶５００㎖が一日５本になっていたのです。アルコール依存症の離脱症状である不眠や集中力の低下、手の小さな震え（手指振戦《しゅししんせん》）も出始めていました。

見かねた夫は翌日会社を休み、依存症専門クリニックにAさんを連れて行きました。Aさんは現在、週に１回の外来治療（カウンセリング）と薬物療法で断酒を継続しています。

子育て中の女性からアルコール問題の相談を受けることが増えています。依存症まではいかなくとも、「乱用」のレベルの方は臨床現場で確実に増えていると感じます。「乱用」とは、「家庭や社会生活上、著明な障害や苦痛を引き起こす飲酒の仕方で、かつアルコール依存症ではないもの」と言われており、依存症の一歩手前の段階ともいえます。

妊娠中はもちろん飲酒はできません。妊娠中の女性が飲酒すると、胎児に大きな影響を及ぼすからです。胎盤を通じてアルコールが胎児の血液に流れ込むと、胎児はアルコールを代謝する能力が未発達なので、早産や流産、胎児の障害につながる危険があります。妊娠中の飲酒が胎児にもたらす障害を「胎児性アルコール症候群（FAS：Fetal Alcohol Syndrome）」といいますが、女性はこれらのことを知っているからこそ、妊娠中は飲酒しません。しかし、もともと飲酒習慣があった女性は、出産後にさまざまな理由からアルコールに耽溺《たんでき》していくケースが見られます。

Aさんは、ママ友のコミュニティ、特にグループLINEから完全にドロップアウトしてしまいました。ママ友からの情報が入ってこないと、どんどん孤立していきます。さらに夫は、働き盛りの世代で忙しい。ワンオペ育児のお母さんの典型的なケースです。夫が仕事で家にいなければ、大人と話す時間がほとんどないため、孤独で、社会との断絶を強く感じてしまいます。

出産前は自由に生きてきたのに、出産後は、例えば観たい映画があっても気軽に映画館に行くことはできないし、夜、友人にふらっと会いに行くこともできない。

母乳で育てる時期が終われば、お酒を飲む習慣がまた戻ってくるため、時期的にもアルコールへの依存が表面化しやすいタイミングでした。

Aさんも、最初はご褒美のつもりの缶チューハイ（AL5%／350㎖）1本だったのが、ちょっと疲れた日やストレスを強く感じたときにストロング缶に手を出すようになり、そのうち毎日ストロング缶が普通の飲酒になっていきました。自分で決めたルールを自らどんどん緩めていったのです。

そして、お酒を飲む時間も、夜寝るまでの間に抑えていればよかったのですが、飲酒時間がどんどん長くなっていったのが問題です。

飲酒をいつから始めるかというのは非常に重要です。日中働いている生活パターンの人にとっては、基本的には夜が適正な飲酒時間です。

しかし、子育て中の母親の中には、ママ友に会うと緊張するので、その前に緊張を和らげて気分を上げるために、1杯飲んでから行くというケースもあります。集団適応のために飲酒するようになると、今度は朝から、夫が仕事に行ったらすぐ飲み始め、子どもを幼稚園へ送る8時ぐらいまでの間に1本飲み終える。それから、幼稚園へ送りに行った後、さらに迎えに行くとき、またママ友に会うので飲む。そうなると、一日中だらだらと飲酒していることになってしまいます。

本人は駄目だとわかっているのですが、ストレスや対人緊張を和らげるための対処行動、つまり「コーピング」としての飲酒を覚えてしまうと、やめることが難しくなります。お酒を飲むことによって、育児のつらさやママ友との付き合いの煩わしさを紛らわすことができるからです。本来は、例えば自分の両親や夫の両親に助けを求めるという選択肢もあるはずなのですが、遠方のためそれができないと、さらに孤立してしまいます。

ママ友というのは、非常に特殊なコミュニティだと思います。2～3歳から小学校に入るぐらいまでは、親が子どもと一緒に同じ空間にいなければならない時間がとても長くなります。そこで、同じ境遇の女性同士が動物の群れのように集うようになります。子どもが幼稚園や保育園を卒園したら離れ離れになりますが、それまでの限られた期間は付き合わざるを得ない。おそらく人によっては特別なコミュニケーション能力が必要となってくるでしょう。

そのコミュニティでは、大抵「〇〇ちゃんのお母さん」という呼び方をされ、子どものことをメインで何時間でも話さなければいけない。自分の考えや気持ちを主張することはあまりせず、他人のことにも立ち入らず、相手の気分を害さないように気を遣い、なるべく穏便に付き合う。

たとえ自分はママ友がいなくても平気と思っても、そのコミュニティで仲良くできなければ、子どもも同年代の友達との付き合いをすることが難しくなってしまいます。「まるで子どもを人質に取られているようだ」と言う人もいます。

そんな中でも、夫が育児に協力的であれば、まだ抜け道はあるかもしれませんが、非常に忙しい人だと、妻の変化になかなか気づきません。夫が朝早く出勤して帰りが遅ければ、二人がゆっくり顔を合わせる時間は休みの日しかなく、結局、お酒の問題に気づかれないことが多いのです。妻がゴミ出しをしていれば、大量のストロング缶の空き缶があったとしても、夫は目にすることがありません。


完璧主義のAさんは、周囲に相談するのが苦手で、ママ友や夫、自分の両親にも育児のストレスについて話すことができませんでした。誰かに相談し頼ることは、アルコールに限らず、依存症の治療の第一歩です。もし自分も誰かに頼ることが苦手だと感じていたら、どんな小さなことでもいいので、身近な人に意識的に相談するようにしてみましょう。

②役員まで勤め上げた俺なのに……定年退職後の居場所は酒しかなかった男性

◉70代男性・Bさんのケース

仕事一筋で生きてきた70代の男性・Bさんは、大手企業で順調に昇進し、役員まで勤め上げました。しかし65歳で第二の人生のスタートと考え退職してみると、家に居場所はありませんでした。妻は友人らとの旅行や観劇などでしょっちゅう家を空け、Bさんと顔を合わせているときも、不機嫌な様子を隠そうともしません。それまでは役職で呼ばれ、職場で必要とされてきたのに、退職後は、社会的な地位や役割を失うだけでなく、家でも必要とされていない「ただのおじいさん」になってしまいました。

40年間仕事だけが生きがいだったBさんは、趣味を持とうと退職後に読書や語学の勉強などを始めてみましたが、どれも長続きせず、結局やることがなくなってしまい、気がつくと朝から飲酒するようになっていました。

もともと晩酌が好きだったBさんは、サラリーマン時代も時々飲みすぎることはありましたが、暴れたりすることもなく、お酒でこれといって大きな問題を起こしたことはありませんでした。

ところが、毎日のように出かけていく妻が楽しそうなのに比べると、Bさんは仕事の付き合い以外で親しい友人もなく、近所に知り合いもいません。駅前の居酒屋で一人テレビを観ながら、ビールや日本酒をあおるばかりでした。

ある日の深夜、就寝中の妻に救急病院から電話がかかってきました。Bさんが泥酔して路上で転倒し寝込んでいたところ、頭部にケガをしていたため、救急車で搬送されたというのです。驚いた妻が慌てて病院に駆けつけると、Bさんは額にできた5㎝ほどの傷からひどく出血しており、一晩入院することになりました。

翌朝、医師と話した妻は、Bさんにアルコール依存症の疑いがあると告げられました。医師は妻に、専門機関へ相談することを勧めました。それまで、Bさんのことを単なる酒好きだとばかり思っていた妻は「依存症」という言葉を聞いて、想像以上に深刻であることに初めて気づきました。妻に治療を強く勧められたBさんは、アルコール専門病院を受診することを決めました。

高齢者のアルコール問題で重要なのは、関係者や家族へのアプローチです。基本的に困っているのは本人よりもケアマネージャーやヘルパー、そして家族なので、彼らからの相談によってアディクション・アプローチは始まります。つまり、最初に困っていると表明した人がファースト・クライアントなのです。

多くの家族はアルコール問題を誰にも相談できずに抱え込みます。そして、その問題に振り回され疲弊していくのです。いいお酒だと思っているのは飲んでいる当人だけで、家族は「酒をやめてくれ」、さらには「早く死んでくれればいいのに」とまで思っているケースもあります。以前、アルコール依存症と知りながら「酒を飲ませておいたほうが静かだから」という理由で好きなだけ飲ませて、失禁した状態でも放置していた家族がいました。これは合法的な殺人行為だと怖くなったことを覚えています。高齢者虐待のケースとして介入した時点では、本人は低栄養と脱水でやせ細り、命の危険を感じる状態でした。その隣で、家族は普通に日常を過ごしていたのです。

このように、高齢者のアルコール問題の場合、若い世代のアルコール依存症者が家族に暴力を振るったりするのとは逆に、家族から虐待されるというケースも多々あります。

昔のような「妻は専業主婦で夫が終身雇用」のパターンだと、家や車のローン、子どもの学費や保険料などを抱えている働き盛りの時期に夫がアルコール依存症になったとしたら、夫が働けなくなると路頭に迷ってしまうという危機感から、家族も必死になって治療を受けさせようとします。つまり、「今あなたに倒れられたら困る」というわけです。

一方で、定年退職後には年金が入ります。妻からすれば、夫が働かなくても自動的に国からお金が口座に振り込まれるので、経済的な底つきの心配がなく、飲ませておいたほうが静かになるのならと放っておいたりするケースもあります。

高齢者のアルコール依存症は「静かなアルコール問題」とも言われますが、飲みすぎて失禁したり、飲んだ後ずっと同じ姿勢で眠り続けるなどして、深刻な褥瘡《じょくそう》（床ずれ）ができることもあり、介護負担を大きくします。前述のような理由で、家族がわざわざ治療につなげる必要もないと判断し、放置状態になることもあります。

そのまま放置すると、もちろん高齢者虐待のケースとして介入が必要になります。家族から暴言を吐かれたり、ときにはつねったり蹴られたり、中には顔面を殴られたりする高齢のアルコール依存症者もいます。クリニックでよく発覚するケースとしては、体のあざです。本人は「転んだ」と言って否定しますが、虐待によるあざは転倒によるあざと全く異なるため、はっきりわかります。虐待の傷の多くは、ももの裏や二の腕、背中の手が届かない場所にあります。転倒では絶対につかない場所です。

それは家族にとっては「復讐」の意味もあるのでしょう。若いときには仕事一筋（ワーカホリック）で家にはほとんどおらず、週末は接待と称したゴルフ、子育ても放棄、挙句の果てに飲酒しては家族に暴力・暴言、全く家庭を顧みなかった夫が、定年後、そこしか戻る場所がなく、妻からの復讐として虐待される。暴力は決して許されることではありませんが、ブーメランのように返ってくるのです。こうなると、子どももも当然味方にはなってくれません。父親が母親にしてきた仕打ちを知っていて恨んでいますから「何を今さら」と放置されてしまいます。なおかつ、当事者である夫が働かなくても妻には年金が入ってきますから、お金には困りません。

そのため、高齢者のアルコール問題は見過ごされることが多く、非常に介入しづらいのです。困っているという自覚があまりない家庭ではアルコール問題が放置されていることも多く、この場合、困ることになるのは、介護に入っているヘルパーやケアマネージャーです。要介護認定後の高齢者の場合、現場でサービスを提供するヘルパーからの報告で、地域包括支援センターから専門機関に相談が寄せられ、治療につながるケースがあります。

ここ10年くらいは高齢者のアルコール問題と認知症についての講演依頼も非常に増えてきました。

２０２５年には約３人に１人（３６７７万人）が65歳以上になると推定されていますから、高齢者のアルコール問題は、今後さらに増加するでしょう。

実は、高齢期はアルコール問題の好発期なのです。そして、介護にはアルコール依存症になる前の夫婦関係も大きく関わってきます。団塊世代の定年退職、熟年離婚、核家族化と単身高齢者の増加、８０５０問題、アルコール飲料の低価格化と貧困問題……。高齢者のアルコール問題からは、日本の家族の問題が見えてくるとも言えるのです。

一昔前の依存症のセオリーとして、親が依存症であったり、親との早期の死別・離別を経験したり、虐待やDV（ドメスティック・バイオレンス）といった問題を抱えた機能不全家族で育った子どもが、親の問題を内面化し、自身も何らかの生きづらさを抱えて依存症になっていく、というものがありました。実際にアルコール依存症、薬物依存症の患者さんたちの生育歴を見ると、原家族（生まれ育った家庭）に何らかの問題がある人が多かったのです。父親のようなお酒の飲み方はしたくないと思っていた息子が、嫌悪しながらも知らないうちに父親の生き方を内面化し、同じような酒飲みになってアルコール依存症に陥ってしまったというようなケースです。

そうした依存症の世代間連鎖がアルコールや薬物などの物質使用障害にはよく見られたのですが、最近はそれほど大きな問題のない家庭で育ってきたにもかかわらず、依存症になってしまうケースも増えてきたように思います。特にその傾向が顕著に見られるのが「行為・プロセス依存」と言われる第二の依存症カテゴリー（痴漢・万引き・

ギャンブル・ゲーム・自傷行為など）です。そういう意味では、今はどこの家庭でも等しく依存症になるリスクはあると考えられます。

いわゆる中流階級層で、それほど不自由なく育ってきて、親からも愛情を受けてきたと感じていても、学生時代のいじめや社会に出てからの何らかの挫折体験をきっかけに依存症になっていくイメージです。背景に自閉スペクトラム症などの軽度発達障害の問題を抱えているケースも増えています。

また、アルコール依存症が軽症化しているという説もあります。意志が弱い、だらしないといった強固な「アル中イメージ」はまだ根強く残ってはいますが、近年の依存症に関する啓発活動によって、昔と比べて「依存症は病気である」という認知が広がってきているので、治療機関にアクセスしやすくなりました。

今まで相当重症化しないと専門機関に来なかった人たちが、もう少し軽症のレベルで受診するようになったのではないでしょうか。裾野が広がって、年齢や職業などさまざまな人たちが専門機関に来るようになったことで、かつての「典型的なアルコール依存症像」に当てはまる人たちが特別に目立たなくなってきたのかもしれません。

③スマホで注文、酒販店の配達で誰にも会わずにアルコール漬けの日々

◉60代男性・Cさんのケース

60代の男性Cさんは、定年まで勤めた会社を退職、子どもはすでに独立しており、妻と二人きりの生活になりました。真面目な性格のCさんはサラリーマン時代は忙しく働き、子育てや家のことは専業主婦だった妻に任せきりだったので、定年後は、妻とゆっくり旅行にでも出かけたりして、悠々自適な年金生活を送ることを夢見ていました。

ところが、その妻が心筋梗塞で急逝。突然一人になってしまいました。それまで、いろいろと細やかなケアをしてくれていた妻のいない状態に放り出されてしまったのです。

大きな喪失感に加え、家の勝手がさっぱりわからず、生活もままならないので、孤独感とストレスから自然と慣れ親しんできたお酒に手が伸びました。もともと酒好きというわけで

はなかったのですが、現役時代に仕事の付き合いで飲むうち、長年の飲酒習慣である程度の量は飲めるようになっていました。一人家に取り残されたCさんは、これといった趣味もなく、特に親しい友人もいないため、外出することがなくなり、急激に飲酒量が増えました。

スーパーやコンビニに買いに行くのも億劫《おっくう》なので、酒はスマホを使って自宅まで配達してくれる酒販店に注文。「ビール1本」から頼める気軽さもあり、酒はもちろん、氷やつまみも注文すれば当日、早ければ1時間で配達してくれるので、なくなるたびにケースで注文していました。

最初は缶ビールでしたが、徐々に安くてアルコール度数の高い缶チューハイ、ストロング缶へと移っていきました。飲み始めると、食事をすることも忘れてひたすらストロング缶を飲み干し、500㎖の缶を次々と空にしていきます。気を失うまで飲み、気がつくと、リビングの床に失禁して横たわっていました。そんな日が続き、部屋は瞬《またた》く間に大量の空き缶で埋め尽くされ、ゴミ屋敷状態になりました。

やがて下痢による脱水症状を起こして、幻覚や幻聴のような精神症状があらわれるようにもなったCさんは、久しぶりに電話してきた娘がすぐには誰かわかりませんでした。呂律《ろれつ》が回らず受け答えがおかしいと思った娘が家を訪れると、さんざん散らかり異臭のする部屋の中で空き缶に埋もれる父親を発見。すぐに病院に連れて行き、アルコール依存症と診断されました。

缶ビール1本からでも無料で配達することを謳い文句にしている酒販店の配達エリアは、東京都23区内を見事にカバーしています。高齢者は今後ますます増えていきますが、歳を取るとADL（日常生活動作）が低下してきますので、歩けなくなったり、行動範囲が狭まっていきます。そうした時代に1本から配達するというサービスは、現代の超高齢社会に非常にマッチしたビジネスモデルです。しかも、ネットを使えなくても電話でも呼ぶことができます。電話1本で来てくれるというのは、高齢者にとってはありがたいサービスでしょう。

私のような依存症専門クリニックで働くコメディカル（医師以外のスタッフ）は、連絡が取れなくなってしまった患者さんの安否確認のため自宅を訪問し、ときには危機介入（警察官や大家同伴のもと部屋に入ること）をすることもあります。もしかしたら、その方が自宅内で亡くなっているかもしれないからです。そこで自宅に急行した際に、酒販店の配達員の方とばったり玄関先で出くわしたことがありました。

向こうにとってはお客様ですが、こちらとしては患者さんですから、命を守らなければなりません。配達員の方に事情を説明して、「この患者さんはアルコール依存症の治療をしているので、今後はお酒を持ってくるのをやめてほしい」と伝えます。向こうも商売ですし、実際に注文されたから配達しているので、どこまで介入すべきかの判断は難しいところですが「患者さんは、お酒を飲んだら副作用が出る薬を飲まれているので」などと説得して、なんとかお引き取りいただきました。そうしたところで、患者さんがまた別の店に頼んでしまえば、いたちごっこです。

アルコール依存症者の飲酒が促進されやすい外的要因として、お酒の価格が安いことがあります。安い年金生活でも唯一楽しめる嗜好品がお酒ではないでしょうか。たばこがたびたび値上げをしているのに対し、お酒の低価格は維持されています。銘柄によっては水より安いお酒もあります。

Cさんのように死別でなくても、熟年離婚も喪失体験の一つです。特に妻から離婚を切り出された場合は、ことさら強い喪失感を抱きます。それまで仕事一筋で頑張ってきて、これから妻とともに家でゆっくり過ごせると思っていたところで、はしごを外されたような気持ちになるのでしょう。

さらに身体機能の喪失もあります。歳を取ると、体力や筋肉量、性機能が落ちてきます。いろいろな意味で男性がパワーを確認するための身体機能が落ちるという喪失感から、自信を失っていきます。

また、友人が亡くなっていく寂しさもあります。65歳ぐらいになると、病気になる人も増えてきますし、同窓会に行くと、「誰々が死んだ」という話が頻繁に出てきます。

こうした経験を重ねていくことが避けられなくなっていったとき、喪失感を酒で埋めるという行為において、安く酔えるストロング缶の存在は大きいと思います。

アルコール依存症者の脳は長年の飲酒習慣によって萎縮します。お酒はビタミンB_1（チアミン）の吸収を妨げるので、ウェルニッケ脳症やコルサコフ症候群（記憶障害・見当識障害・作話）と呼ばれる、認知症に似た症状が出てくることもあります。

毎日お酒を飲む人の適量は一日あたり日本酒換算で1合以下です。ビールなら500㎖缶1本、ウィスキーならダブル1杯（60㎖）、焼酎はグラス1／2（100㎖）、ワインはグラス2杯弱（200㎖）、缶チューハイ（AL7%）は1本（350㎖）です。毎日飲む人は、適正飲酒を続けるならばそれだけにしておかないといけません。

毎日20g以上の純アルコールを摂取してきた中年男性は、老後の物忘れの進行が最大で6年早まるという研究結果が、2014年、米国神経学会の学会誌『ニューロロジー』に発表されました。論文を執筆したロンドン大学のS・サビア氏は「中年男性を対象にした我々の研究は、飲酒量と認知機能の衰えが進むスピードとの間の相関関係を示唆している」と述べていました。

Cさんは妻という最愛のパートナーがいなくなったことで生きる糧《かて》をなくしてしまいました。妻が早く亡くなると、夫も早く亡くなるケースが多いことはよく知られています。

単身高齢者のアルコール問題は、食事をせずに酒ばかり飲んでしまう傾向にあるので、体調を崩しやすく、子どもがいても別に暮らしている場合、誰にも気づかれず、自分で助けを求めることもできず、孤独死に至るケースも多いです。単身男性のアルコール依存症者は、妻のいるアルコール依存症の人に比べて寿命が短い例が多く見受けられます。

アルコール飲料をずっと飲み続けていると、さまざまな身体疾患を患います。妻がいたら食事を作ったり、お酒を捨てたり、世話を焼いてくれるし、いざというときに救急車を呼ぶこともできます。依存症が悪化する前に、内科病院や専門病院など、適切な医療機関につながることで助かる可能性が高いです。妻のケアによって結果的に寿命が延びるアルコール依存症の高齢男性は少なくありません。

Cさんは幸いにも娘さんに発見されて、命拾いをすることができましたが、日本のアルコール依存症の人たちの中で専門医療機関につながっている人はいまだに全体の5～10%と言われており、非常に少ない状況です。

そのほかのほとんどの人たちは内科で入退院を繰り返し、結局は死に至るケースもあります。小田嶋隆さんの著書『上を向いてアルコール　「元アル中」コラムニストの告白』（ミシマ社　2018）に、何年にもわたって近所の病院で点滴を打っていたのに、誰にもアルコール依存症だなんて言われなかった、というエピソードがありました。点滴で解毒して、飲める体になって戻ってくると、また飲み始める。延々とそれを繰り返す人もいるのです。

この問題は最近ようやく認知されるようになり、専門医療機関へ行くことを勧める内科の医師や、専門治療することを内科治療の条件とする病院も増えてきました。

高齢男性の酒量が増えるきっかけは、Cさんのようにパートナーの死が一番大きい要因ですが、逆に女性の場合、夫の死がきっかけで飲酒量が増えるということは、あまりないようです。夫が亡くなっても、それほど喪失感を抱かず、むしろ生き生きとするという話はよく聞きます。夫よりもペットが死んだときのほうが喪失感は大きい。そして、子どもが巣立っていって、今までの母としての存在価値や役割を見失ったときにアルコールに耽溺するというケースはあります。

④酒の力を借りれば、「コミュ障」な自分が変えられると思った地方出身女子

アルコール依存症のきっかけとなるエピソードに別の要因（疾患）がある人もいます。根っこに、自閉スペクトラム症などの発達障害的傾向を持っているケースもその

一つです。診断はつかないけれども「発達障害グレーゾーン」と言われる人もこの疾患概念の広がりとともに目立ってきました。

空気が読めない、話がかみ合わない、忘れ物が多い、他者への共感性が乏しい、こだわりが強い、などの発達障害的傾向がある人は、学生時代までは親や教員などのサポートによりある程度適応できるものの、卒業後社会に出て、例えば結婚による他者との生活の中や継続した就労活動の枠組みの中で、徐々に不適応が起きてくるケースがあります。

もともと発達障害を持つ人は、枠組みの中に自分を当てはめることが苦手な場合があり、周囲の人と働く時間軸を合わせられないというズレや、職場での人間関係のトラブルが出てきて、それを障害ではなく、性格や能力の問題ととらえられて叱責されることも多いのです。

すると、職場ではストレスがたまり、日々自己肯定感が削られるので、その生きづらさを紛らわすために家に帰って一人で酒を飲む、というパターンに陥ることがあります。このような、二次障害としてのアルコール問題が存在します。飲酒が自分の不全感やストレスに対処するための自己治療とも言えるので、より一層悪循環になりやすいのです。

◉20代女性・Dさんのケース

地方出身のDさんは、外見は整っているものの、常に自分に自信がありません。人付き合いに強い苦手意識があり、自分から活発に人と関わることはできませんでした。話し方も平たんで感情を伴わない感じで、今で言う「コミュ障」というタイプです。

しかし子どもの頃から閉鎖的な田舎の生活が嫌で、とにかく東京に出たいという気持ちが強かったため、専門学校で歯科衛生士の資格を取得し、東京の歯科医院の就職先を見つけました。親の反対を押し切って上京し、念願の一人暮らしを始めたのです。

仕事は淡々とこなし、休日は、一人で話題のスポットへ出かけては、自撮りをして画像をSNSにアップしていました。「いいね」をもらえることが嬉しかったので、四六時中スマホを手放せず、SNSを見ることに一日の大半を費やしていました。

SNSは、Dさんにとっては大事な自己表現の場であり、人間関係をうまく築けない現実からの逃げ場にもなっていたのでしょう。

歯科医師との結婚を望んでいたDさんは、職場で積極的に出会いを求めるのではなく、ひっそりと婚活サイトに登録をしました。彼女にとっては、そのほうが気楽だったからです。すぐに都内の病院に勤めているという男性医師と知り合い、サイト上でメッセージのやりとりをした後で、実際に会うことになりました。相手は話し上手で楽しい人だったので、Dさんは好意を持ち、その後も何度かデートを重ねました。

ところが、数回会った後に、彼から、友人の借金の保証人になって負債を負うことになってしまったと言われ、お金を貸して欲しいと頼まれました。Dさんは友人思いの優しい人だと感激してお金を数十万円貸したのですが、その後、彼とは連絡が取れなくなりました。詐欺に遭ってしまったのです。結局、騙されてお金は戻ってきませんでした。

Dさんは、親にも言えず、東京で相談できる友人もいなかったため、余計に自信をなくしてふさぎ込んでしまい、夜もあまり眠れなくなってしまいました。酔っぱらえば眠れるのではないかと、アルコール度数の低い甘い缶チューハイ1本から飲み始めました。毎晩仕事帰りにコンビニに寄って酒を買ううち、だんだん強い酒を飲むようになり、ストロング系チューハイに行き着きました。その頃には、毎日飲まずにはいられなくなっていたのです。

そのうちDさんは、酒のにおいをさせて出勤するようになりました。顔はむくみ、目が充血しています。遅刻や欠勤も増えてきたため、先輩が気づいて指摘したところ、「実はお酒の量が増えてきて、やめられなくなってきています。このままだと皆さんに迷惑をかけるので退職させてください」と言って、職場を辞めてしまいました。

印象としては、おとなしくて、声も小さく、自信のなさそうな感じの女性です。会って話しても、まさかこの人がそんなにお酒を飲んでいるなんて、思いもよらないでしょう。

なぜ、もともと酒好きでも何でもない彼女が酒に溺れていったかというと、「つながりがない」「依存先がない」ことが一番の原因と言えるでしょう。地元から離れ東京に出てきて一人暮らしで、親しい友人もできず、仕事関連でのつながりもなかったため、あっという間に孤立してしまったのです。

若い女性の場合、さびしさから出会いを求めて、不特定多数の相手との性関係を持つというケースもありますが、彼女の場合は自分に自信がなかったため、そのような行動を取ることはありませんでした。しかも、婚活で出会った男性に騙されてしまったので、それ以上、男性と関係を持つことが怖くなってしまったのです。

地元では比較的裕福な家庭で大事に育てられ、発達障害的傾向が、それほど大きな問題になることはありませんでした。Dさんのケースは原家族や育てられ方に機能不全の問題があったわけではなく、どちらかといえば過保護・過干渉でした。

最近はこのような「カーリング子育て」と言われる親子関係をあちこちで見ることがあります。本人が悩んだり痛みを感じることで大切な何かを学ぶ権利を周囲が巧妙に奪う構造を、全国で性教育の講演を行っている医師の岩室紳也氏（ヘルスプロモーション推進センター代表）は「カーリング子育て」と名付けました。

ストーンが円滑に滑るよう周りの人たちが必死に氷面を磨くカーリングのように、本人が転ばないように、先回りして障害物を取り除いて大事に大事に育てられたため、生来の発達障害的傾向も、親の庇護下にあるうちは顕在化しなかったのでしょう。そこで育まれた優等生的な気質から、他人を巻き込むセックス依存でも、万引きを繰り返すクレプトマニア（窃盗症）でもなく、消去法で道徳や倫理上の抵抗感の少ない、一人で飲めるお酒を選んだのだと思います。

アルコール関連問題（健康問題・事故・職業問題・家族問題・犯罪）がある人の多くが、職場を転々としています。要は職場に適応できず飲酒量が増え、遅刻・欠勤・早退が増える、もしくはアルコールによる身体的不調から仕事を辞めるのです。次の職場でも、最初は過剰適応しますが、対人関係トラブルなどからやがて飲酒量が増え、仕事に支障をきたし辞める、の繰り返しです。

Dさんのアルコール依存を親御さんは知らないでしょう。Dさんのその後はわかりませんが、資格職でもあるので、また別の職場で働いているかもしれません。ただ、彼女自身が自分の生きづらさに気づかない限り、アルコール問題の根本解決にはつながらないでしょう。依存症とは、生き方の病でもあります。

Dさんのようなケースは、今の若い人たちにも当てはまるところがあるのではないでしょうか。

昨今注目されている「発達障害グレーゾーン」だけにとどまらず、五感や感受性の部分が過敏で、例えば同じ空間にいる人の機嫌が肌に突き刺さるような感覚でわかってしまうような人、上司に叱責されている同僚を見るだけで胃がキリキリして、その日一日不安でたまらなくなってしまうような人など、会社や学校といった枠組みに適応することが難しく、ストレスを抱えてしまう若い人が増えてきたように思います。

筆者の勤めるクリニックでも、基本的なあいさつから、精神科の現場で求められる高度な共感能力や人との関わり方まで、コミュニケーション上の問題を抱えているスタッフが増えてきているという実感があります。

発達障害は、個々に複雑かつ複合的な症状を呈するため、必ずしもアルコール依存症と関連づけられるものではありません。また、発達障害に限らず、統合失調症や双極性障害などの精神疾患を一次障害として、アルコールやその他のアディクション問題が二次障害で現われるケースは多く存在します。こうした場合は、表面化している問題のみへの対応では、回復へとつながらない難しさがあります。

⑤「ストロングゼロ文学」と承認欲求

◉20代男性・Eさんのケース

都内の有名私大の理系学部を卒業したEさんは、「ゆとり」などと揶揄《やゆ》される平成世代ではありますが、中高一貫の進学校から名門私立大学に現役合格。その4年後に、自分がまさか就活で1社からも内定がもらえないとは、想像もしていませんでした。

同級生たちが名だたる有名メーカーに就職を決めていく中、Eさんはなぜか面接試験の段階で必ず落とされます。面接中に、大学での研究内容や志望分野以外の話を振られると何を答えてよいのかわからず、黙りこくってしまうのが原因でした。

事前に準備してきた内容は話すことができるのですが、それを遮られたり、別の話題に切り替えられたりしてしまうと、頭の中がパニックになってしまうのです。それを避けたいがために、相手の質問を無視して話し続けてしまうこともありました。

Eさんは内定が出ない自分を恥じて誰にも相談できず、就職先が決まらないまま卒業しました。

世間体を気にする両親と衝突し、都内に実家があるにもかかわらず一人暮らしを始めたEさん。家賃などを稼ぐためにエンジニア派遣の会社に登録しましたが、派遣先での人間関係や、膨大な業務量にすぐに嫌気がさして辞めてしまいました。心配した母親が時折お金を振り込んでくれることもあり、現在は週単位で仕事を入れられる日雇いのアルバイトで生計を立てています。

親しく連絡を取り合う友人のいないEさんは、Twitterで日々の鬱憤や愚痴を書き連ねるようになりました。そこで出会ったのが「ストロングゼロ文学」です。これまでほとんどお酒を飲まずに生きてきたEさんですが、フォロワーたちの大喜利《おおぎり》のようなやりとりに親近感を覚え、自身も仕事帰りにコンビニで買ったお酒を飲みながらツイートするようになりました。

お酒に絡めて自身の境遇を自虐を交えてツイートしていると、たまに思わぬ数の「いいね」がついたり、ユーモアで切り返してくれるフォロワーが現れたりと、ＳＮＳの空間ならではの出会いがあります。

最初は３５０㎖缶を飲み切る前に酔っぱらってしまいましたが、確かに気分がぱあっと晴れるような感覚があり、日々、日常会話を交わす相手もいないEさんにとって、気がつくとその時間が唯一の癒しになっていました。

ネット上ではあっても、酔っているときの自分は普段より愉快で、人から面白いと思ってもらえる人間なのだ、という達成感や優越感のようなものがあるのです。気分がよくなると2缶目に手が伸び、明け方近くまでスマホをいじりながら飲み続けてしまい、起きられずにアルバイトを無断欠勤することも増えてきました。


こちらのケースもまた、社会適応上の問題がアルコール問題へと移行していったわかりやすい例と言えるでしょう。先の例の発達障害の中でも、特にアスペルガー症候群に多く見られるコミュニケーション面でのつまずきが、飲酒のきっかけとなっていった事例です。

Eさんの場合、勉強ができたために見過ごされてきた、融通のきかなさや空気の読めない発言、対人関係をうまく築けないことなどが、就職活動の失敗によって初めて顕在化したのです。

黒ずくめのスーツが象徴するように、日本の就職活動の場合、皆と同じように振る舞いつつ、その中で自分の個性や強みを際立たせるという高度なコミュニケーション能力が要求されます。

Eさんの特性を理解した上で、能力さえあれば多少の凹凸《おうとつ》を許容してくれるような職場にアピールできればよかったのかもしれませんが、ゼミ生や担当の教授とのよい関係を築けていなかったため、それもできませんでした。私立の進学校でずっと成績がずば抜けてよかったEさんは、これまで「コミュ障」である、ということが直接的な問題になることがなかったのです。おそらく、両親も息子のそうした側面を知りつつも、あまり重要視してこなかったのではないでしょうか。

Eさんの現時点での飲酒量自体は多くはありませんが、「毎晩飲む」「孤独やストレスを紛らわすために飲む」「予定していた仕事に行けなくなっている」という点で、すでに問題のある飲酒習慣と言えるでしょう。

⑥子育て・介護を終えた女性が陥る「空《から》の巣症候群」

子育てに限らず、女性がケアワークの担い手となっている家庭は依然として多いのではないでしょうか。晩婚化などの影響で、子育てと介護が同時期に訪れる「ダブルケア」問題や、子育てを終えてすぐに介護に突入する女性が増えています。

子どもの就学や就職など、終わりが見えやすい子育てに対して、介護の場合は、終わりは被介護者の死を意味するため、達成感や充足感を得にくいのです。

◉50代女性・Fさんのケース

看護師のFさんは、20代の時に勤務先の患者だった夫と結婚、二人の男の子を産んだ後も仕事を続けていました。

息子二人が小学生の時、夫が仕事を突然辞めてしまい、それが元で夫婦の間で口論が絶えなくなり、離婚。幸い、父を亡くして一人暮らしだった母を自宅に呼び寄せることができたため、母の手を借りながら、息子二人を無事高校卒業まで育て上げました。

息子は二人とも就職により地元を離れ、Fさんは老いた母とともに自宅に残されました。その頃から、母親の様子が少しずつ変わってきました。Fさんが職場から戻ってくると、まくしたてるようにご近所の悪口を言い、それに同調しなければ、Fさんにもすごい剣幕でつっかかってくるようになりました。また、Fさんがお財布からお金を盗ったと言い出し収拾がつかなくなることもありました。突然怒りっぽくなった母に戸惑ったFさんでしたが、やがて母は通い慣れたスーパーへの買い物でも道に迷うようになり、最寄り駅の名前や携帯電話の使い方なども忘れているときがあることから、認知症の初期症状であることがわかりました。

これまで苦労をかけ続けた母のために、Fさんは看護師の仕事を辞め、母に付き添って毎日を過ごすようになりました。しかし、認知症になった母は、日に日に言うことが他罰的になり、Fさんにも、怨嗟《えんさ》のこもった文句を一日中ぶつけてきます。可愛がっていた孫二人のことも口汚く罵《ののし》ることがあり、ある日耐えかねたFさんは、とうとう母親に手を上げてしまいました。

自分自身が母に暴力を振るったことにショックを受けたFさんが、何とかストレスを解消しようと手を伸ばしたのがお酒でした。長い間飲酒の習慣がなかったFさんですが、スーパーに行けば、色とりどりの飲みやすそうな缶チューハイが売られています。酒に酔った状態なら、母の攻撃や頑なな態度もどうでもよく感じられます。これまで几帳面にこなしてきた家事や介護も最低限しか行わないようになり、生活は乱れていきましたが、イライラすることは少なくなりました。

結局、2年後に認知症の進行した母親が入院し、その半年後に肺炎で亡くなるまで、Fさんは朝1本、昼1本、夜1本と、規則正しくストロング缶500㎖を飲み続けていました。

母親の葬儀を終えたFさんは、その後加速度的に飲酒量が増えていったようです。年末に帰省した長男が、フラフラで呂律の回っていない母親を不審に思い、専門病院に連れて行きました。その頃のFさんは、ストロング缶500㎖を一日8~10本も飲む生活になっており、固形物を食べられなくなっていたため、ふくよかだった体形はガリガリになっていました。

看護師経験の長いFさんでも、自身の母親の介護となると、勝手が違う部分が多かったのでしょう。最後は、抗うつ薬や睡眠薬も手放せない体になっていました。特に認知症で、体力は衰えずに認知機能だけが損なわれてしまった場合、暴言や暴力、徘徊に悩まされ、介護する側の心身が激しく消耗するケースもあります。

また、老々介護や８０５０問題を抱える家族も、ここにさらにアルコールが絡んでくるとより問題が複雑化します。今後の高齢者のアルコール問題における課題と言えるでしょう。

アダルトチルドレンと依存症

今回のケースのFさんは看護師でした。看護師やソーシャルワーカーなど「ケアワーカー」と呼ばれる職種の人は、比較的転職をする人が多いと言われています。もちろん職場環境の問題や過酷な感情労働であること、資格職であり、需要が高くどこでも働けるからというのが一般的な理由でしょう。そして、結婚率が高く離婚率も高いという特徴もあります。こちらも、経済力があるため離婚に踏み切りやすい、とされています。

こうした「職場を転々とする」「結婚と離婚を繰り返す」要因の一つとして、ケアワークを職業として選ぶ人には、ＡＣ（アダルトチルドレン）特性が高い傾向があることが関係しているのではないかという説は、医療関係者の間ではよく耳にします。筆者の知る範囲でも、両親に依存症やＤＶの問題がある人が珍しくありません。幼い頃から、父親のお酒の後始末をする娘、父親が家で暴れると母親と一緒に外に逃げて、ガレージで母親を守る息子といった役割を家で担っていたというケースです。父親が外で飲酒するとしょっちゅう警察から電話があり、そのたびに子どもである自分が泥酔した父親を警察署に迎えに行っていたという体験を語る人もいます。

ＡＣとは、いわゆる「機能不全家族」で育った子どもを指す言葉です。本来は「Adult Children of Alcoholics＝アルコール依存症の親を持つ成人した子ども」という意味の言葉でしたが、最近は定義が広がり、機能不全家族の中で育った子どもや、現在の自分の生きづらさが親との関係に起因していると認めた人を意味する言葉となっています。

1990年代初めの頃には「ACムーブメント」が起きて、ACを自認して精神科を受診する人が増えました。今では、ACという言葉自体があまり使われなくなりましたが、依存症の問題を読み解く上では重要な鍵概念です。

親が何らかの依存症である、夫婦間・親子間にDVや虐待の問題がある家庭で育つ、あるいは親との早期の死別や離別といった経験をした子どもは、安定した家庭環境で過ごすことが非常に困難です。また、親との基本的な信頼関係や愛着関係を構築することも同様です。そこを生き抜くために、AC役割と言われる五つのサバイバルスキルを身に付けます。

一つめは「ヒーロー」。優等生的な役割です。家族の中で自分が優等生でいれば、皆がこちらに注目するので、父親のアルコール問題から目をそらすことができます。

アメリカのクリントン元大統領は自身がACで、それを克服したことを宣言して大統領選挙に出馬し、当選しました。その後セックス依存症になり、ホワイトハウスでセックス・スキャンダルを巻き起こした彼は、子どもの頃、酒に溺れて暴力を振るうアルコール依存症の継父から、母親を守っていた子どもでした。家族の中では常に、母親を守るヒーローの役割、いわゆる「いい子」を演じていたのです。

このタイプは、人に気に入られようと過剰に努力し、職場や学校でも過剰適応しやすく燃え尽きてしまい、その後飲酒をするという悪循環のパターンを身に付けているケースが多いです。

次が「スケープゴート」。これは、「生贄《いけにえ》」や「身代わり」の意味で、ヒーローとは逆に問題行動を起こすことで、家族の関心を父親のアルコール問題から自分のほうに向けさせるのです。非行などの問題を起こす子は、こういうタイプの子が多いです。親の問題を顕在化させないため、子どもは体を張って非行をしているのです。

三つめは「ピエロ」です。ピエロは「道化師」ともいいますが、冗談を言ったり、人を笑わせる役割を果たすことをいいます。現実に直面することへの不安や怒りの表現を隠すのに、やたら元気にふるまったり、喜んだり、慰める役回りの子どもを演じるのです。ユーモアや他者を笑わせることで家庭内の緊張を緩和してきたため、成長してからも進んでピエロ的役割を担わなければ適応できないという生きづらさがあります。

四つめは「ロストチャイルド」です。ロストチャイルドとは、「いない子」「存在を消す子」のこと。家族の中で、ずっと自分自身の存在を消して適応してきた子です。かつてのクラスメイトにも一人か二人ぐらい、いるかいないか全くわからないような子がいませんでしたか。それは「自分の存在を消す」という集団への適応の仕方なのです。

父親が酒を飲んで帰ってくると、夫婦げんかで包丁が飛び交ったり、家中の物が壊されたりと、戦争のようになることもあります。「地獄を見たければアルコール依存症の家族を見ろ」と言われるくらいなので、子どもはなんとかそういう地獄が過ぎるのを身を隠しながら待ちます。自分の存在を消し、「早く終わってくれないかな」と待っているわけです。こうした子どもは「自分がいい子じゃないからお父さんはお酒を飲んで帰ってくるんだ」というような誤った学習をしてしまうこともあります。

最後が「ケアテイカー」、お世話焼きです。常に他人の問題に振り回されるタイプの人。幼少期から父親のお酒の問題に振り回され、その尻ぬぐいをしてきた、あるいは、小さい頃から母親が病気で、その介護をしてきた、など、家族の中で誰かの世話をする役割をずっと背負ってきたケースです。

ケアテイカーは、成長した後も慣れ親しんだ行いの延長として援助職を選ぶことがあり、そのため看護師やソーシャルワーカーのような仕事をする人にＡＣ特性が高いという傾向が見られるのではないでしょうか。

ケアテイカーの役割は、依存症家族においては「イネーブラー（支え手）」といいます。本人の問題を周りが尻ぬぐいしてしまい、転ぶ前に障害物を取り除いてしまうので、結局は本人が自分の問題に気づくことを先延ばしにします。

よく依存症の治療の中では、「手放す」という話が出てきます。本人が自分のこととして問題に向き合うために、周囲は本人がギャンブルで作った借金は肩代わりしない、など、本人の問題を手放し、自分で考えてもらうということが重要なポイントになります。

ＡＣの人たちは、育った家庭でこうした適応の仕方を学習するしかなかったため、大人になってからも背負ってきた役割から抜けられず、そのことが、その人自身を縛る生きづらさにつながっていきます。

しかし、それは生きづらさでもある一方で、能力でもあります。クリントン元大統領は、自身の環境により磨かれた、稀有な才能によって世に出ることになったのです。

取り立てて大きな問題がなくても、子どもが育った家族の中で背負う役割というものは多かれ少なかれ存在します。それは、その人が原家族の中でサバイバルしていくために必要な役割なのです。それが大人になってからも生きづらさとして抜けない人もいますし、一方、社会の中で認められるケースもあるので、足を縛る鎖でもあり、その人の能力、もしくは個性とも言えるのではないでしょうか。

アルコール依存症の家族に限らず、近年は「毒親」という言葉が一般名称化し、さまざまな人が、自身の生きづらさの原因を、親子関係に求めるようになりました。

これは一つの大きなターニングポイントで、親を一時的に責めることは、本人が回復に向かう上でとても重要な行為なのです。本当は私はあのときつらかった、寂しかったのだと、後からでも親を責め、自分を慰めることで、ようやく自分を縛っている鎖に気づくことができる人もいるのです。

第2章

あなたの飲み方、大丈夫？

左記の項目のうち当てはまるものにチェックをしてください。

□仕事終わりに「これで酒が飲める」と思う
□飲んでいるときの自分は楽しい人間だと思う
□休みの日には昼から飲んでもいいと思う
□ストロング系チューハイが好きだ
□飲んで記憶をなくすことがある
□飲んで目的地にたどり着けないことがある
□飲んでケガをしたことがある
□今日は飲まない／途中でやめる、ができない
□飲まないと眠れない
□飲み会の翌日、皆の態度が冷たい

□「飲まなければいい人なのに」と言われる

いくつチェックがついたでしょうか。通常、こうしたチェックリストには、何個までが問題なしで、何個以上ならば注意、のような基準がありますが、このチェックリストは、一つでも当てはまる場合は要注意です。

アルコール依存症の医学的な診断には、主に2種類の診断基準が用いられます。世界保健機関（WHO）が作成した「国際疾病分類」（ICD）とアメリカ精神医学会が作成した「精神障害に関する診断統計マニュアル」（DSM）です。それぞれ精神疾患の診断に用いられる国際的なガイドラインですが、一般の人には抽象的で、具体的にどういった状況かイメージしにくいので、お酒で問題を起こす人たちによく見られるエピソードから、筆者が冒頭の簡易チェックリストを作成しました。

具体的にどれほどの頻度で、どれくらいの量を飲んでいるのかは、あえて質問に加えていません。「毎日飲んでいない／たくさん飲んでいないから大丈夫」といった先入観を持たずに、自分が「どのような気持ちで酒を飲んでいるか」「飲んだときにどのような状態になっているか」を思い起こしていただきたいからです。

この本を手に取ったあなたは、これらの項目のいずれか、もしくは複数に当てはまっているのではないでしょうか。

ではなぜ、あなたは今日もまた飲んでしまうのでしょう。

「なぜ飲んだのか」ではなく「なぜ飲む必要があったのか」

お酒を飲んだ後、転倒してケガをしてしまったという経験はありませんか。

アルコール依存症の人は、転倒して顔や頭をケガすることが多いです。なぜ顔面からこけるのかと聞くと、みんな「手に酒を持ってたから」と答えます。冗談のような話ですが、これまで何度も実際に聞いたことがあります。命よりも大事な酒だからそれを放すはずがない。それほど酒が大事なのかと呆れるかもしれませんが、果たしてそれは他人事なのでしょうか。

電車を乗り過ごしたり、財布や貴重品をなくしたり、駅の階段やホームから滑り落ちてしまったり……そうしたエピソードは、飲みすぎてしまったときにはよくある「しくじり」として、あまり問題視されることはありません。しかし、こうした一見些細な失敗が、実はあなたの飲み方に黄色信号が点滅しているサインなのです。誰かが「なぜ、そんなになるまで飲んでしまったのですか」と訊ねてきたら、あなたは何と答えますか。

実は、依存症治療においては、「なぜ」という原因を突き止める質問は避けるべきこととされています。患者さんが再飲酒してクリニックに来たときに、スタッフは「せっかくやめていたのに、なぜ飲んだのか」と聞きたくなるはずです。しかし、それは聞くべきではないのです。なぜなら、聞かれた当人は結局さまざまなエピソードに関連させて、飲んだ理由を探してしまうからです。

結論から言うと、飲む理由は「ない」のです。例えば、上司に誘われたとか、妻にムカつくことを言われたとか、仕事でうまくいかなかったとか、探せば飲む理由はいくらでもひねり出せます。しかし、それでは飲酒を何かのせいにするだけで、根本的な解決にはなりません。ですから、飲んだ理由を聞かないということは、アルコール依存症治療の基本中の基本なのです。

飲んでしまった理由を聞いたところで断酒行動につながるわけではありません。依存症者の家族は、この「原因を突き止める」という対応をやってしまいがちですが、これにはほとんど効果がないとされています。

それよりも重要なのは、「なぜ飲む必要があったのか」と質問を変えることです。アルコール依存症者は、すでに飲酒によってさまざまな問題を引き起こし、損失を繰り返しており、酒をやめないといけないとどこかでわかっています。それでも、目の前の1杯に手を付けてしまうのです。家族の顔や、これを飲んだら離婚されるとか、また誰かを悲しませるとか、仕事に行けなくなるとか、いろいろ考えるものの、カップ酒に足が生えて本人の口まで歩いて来るわけではなくて、本人が自分で手を出して飲むのです。

原因論ではなく目的論で考えてみましょう。この「なぜ飲む必要があったのか」というところが重要で、依存症の「自己治療仮説」という考え方にもつながります。

依存症者は、快楽のために薬物や嗜癖《しへき》行動に溺れるわけではなく、自身の抱えている問題や精神的苦痛から逃れるために、「自己治療」として用いているのではないか――これが、今から30年以上前に心理学者のエドワード・J・カンツィアンらが提唱した「自己治療仮説」の簡単な説明です。お酒を例にとれば、お酒がおいしい／飲むのが楽しいから飲むのではなく、飲むことで、耐えられない現実を一時的に棚上げしてやり過ごしているのだ、ということになります。

そうした苦痛を抱える人にとって、依存症になることは、緊急避難的な「生き延びるため」の選択とも言えるのです。そのため、治療につながったとしても、その人の「生きづらさ」が改善されない限り、再発をしてしまう可能性が高い――依存症とは生き方の病、と言われる所以《ゆえん》はここにあります。

実際、アルコール依存症から回復をしている人たちから「あのときは酒でおかしくなっていたけれど、今考えると、酒があったから自殺せずに済んだ」という話をよく聞きます。要は、飲むことで問題を棚上げしていたけれど、もしもしらふでその問題に直面していたら、あまりにもつらすぎて死を選択せざるを得ない状況だったというのです。プライベートでも仕事でも、いろいろ問題があって八方ふさがりで、それをなんとかやり過ごしていく方法が飲酒だったのです。

しかし、アルコールを取り入れても、そのときは一時的に悩みがぼやけたり、痛みがフワッと軽くなったりするものの、またしらふになると、今度はより強い苦痛が襲ってきます。結局、根本的な問題をずっと先送りし、棚上げしていると、どんどん問題がふくらんできてしまう。それが抱えきれなくなって自殺の引き金になることもあります。

「この1杯を飲めば、何とかなるかもしれない」と思って飲む。当然ですが、しらふになると、問題は全く解決していないことに直面します。でも、その1杯でひとまず今日は生き延びることができた。まさにお酒を飲むことで死なずに済んでいるという状態です。サバイバルスキルとしての依存症という側面がここにあります。

そうしたメカニズムがあるので、自助グループでは、アノニミティ（匿名性）が担保された、同じ悩みを持つ仲間たちの温かさの中で、等身大の自分でいることができる、そのままの自分が受け入れられるという、人とのつながりを糧にお酒をやめていきます。一人でやめるのではなくて、仲間とともにやめていく。一人ではないから、仲間がいるから、しらふで問題に立ち向かうことができるのです。

依存症についての本質的な理解のためには、この自己治療仮説という考え方はとても重要で、依存症者への偏見やスティグマを取り除くことにもつながります。

近年の違法薬物を使用した芸能人についての報道などを見るにつけ、依存症者＝意志の弱い人、だらしない人というイメージには根強いものがあるようです。もちろん、依存症者の全てに自己治療仮説が当てはまるわけではありませんが、この概念を理解することで、見方は変わってくるはずです。また、物質（薬物・アルコールなど）の取り締まりを強化することや、厳罰化によって単純に解決する問題ではないということも見えてきます。

「酒は裏切らない」と思っていませんか？

アルコール依存症の人がよく言う言葉に「酒は裏切らない」というものがあります。「人は裏切るけれど、酒は飲めば確実に酔える」と言うのです。

依存症の人は、親からの虐待や学生時代のいじめなどを含め、人間関係の中で何度も逆境体験を味わっている人が多いのです。期待を裏切られる、信頼していた人との関係が断絶する、などを経験してお酒に徐々にのめり込んでいく傾向がありますが、どんなときも確実に酔わせてくれるお酒が、自分を決して裏切らない友達のように思えてくるのです。

治療者に対して、「酒は裏切らない。どうせ人間は裏切るだろ」とふっかけてくる人がいます。今まで裏切ってきた人がたくさんいたから、試しているのです。「あいつも結局駄目だったし、あいつからも裏切られた。でも、酒は金さえ払って買えば、酔いの世界に誘ってくれる」と信じている。しかし、それは一瞬にすぎません。徐々に耐性ができてくるので飲酒量が増えてきます。酔えなくなるというのも「裏切り」

だと思うのですが、「これ1本で昔は楽しくしてくれたじゃないか。どうしてだ?」とはならないのです。

以前、子どもの頃から親の夫婦げんかのときに梅酒を飲んでいたという人がいました。子どもは、親がけんかをしていたり、離婚の話をしょっちゅうしていたりしたら、不安で気になって眠れないものです。そのときに、台所にあった甘い梅酒を飲んだら体がポカポカ温かくなってうまく眠れたことがあった。そこから、飲酒を覚えてはまっていったというのです。

彼らに共通しているのは、自分の中で「いい酒の体験」だけを覚えていることです。お酒で失敗したことや、まずかったと思うようなことを覚えていたら飲めなくなりますから、そういうことは都合よく忘れていくしかない。「あのときはちょっと体調が悪かった」とか、「あの店の酒は安すぎた。質の悪い酒だから悪酔いした」などと言う人がいますが、おそらく関係ないでしょう。

飲酒には、集団適応のためという側面もあります。対人緊張が強く、しらふでは話ができないという人が緊張感を和らげるためにお酒を飲むというケースです。

面と向かって人と話をすると、共感もありますが、緊張もあります。特に、友人関係ではなく仕事関係の場合には、相手にとって望ましい価値のある人間でなければいけないというプレッシャーが存在するものです。

こうした対人緊張を緩和するためにお酒を飲む人は、普段は真面目であったり口下手であったりする傾向が強いため、コミュニケーションに対して苦手意識を持っており、「ありのままの自分では受け入れてもらえない」と思い込んでいます。

まんしゅうきつこさんが、自らのアルコール依存症体験を描いた『アル中ワンダーランド』（扶桑社　2015）の中で、主人公の女性が「私はお酒を飲まないと人と明るくしゃべれないの」と泣きながら叫ぶシーンがあります。この台詞《せりふ》に共感する人は多いのではないでしょうか。自分以外の人はうまくやっているように見える、そこに交ざるために、お酒で勢いをつけて「望ましい自分を演じる」経験は、多かれ少なかれ誰しも身に覚えがあるでしょう。

筆者が勤めるクリニックでも、デイケアに通う患者さんの中に、仲間から「あいつ飲んでから来てるよ」と言われる人がいます。でも、飲まないと来られない人もいるのです。集団に入るには、しらふだと緊張してしんどい。その緊張を和らげるために飲むのも、自己治療仮説で読み解くとわかりやすいです。

先述のチェックリストの中に「『飲まなければいい人なのに』と言われる」という項目がありました。これは飲んでいる当人からすると、甚《はなは》だ納得のいかない評価のようです。なぜなら、飲んでいる自分は「普段よりいい人」だと思っているのです。これはアルコールに限らず、さまざまな依存症に共通する「認知の歪み」です。

集団適応のために飲んでいる人は、飲んでいる自分が、ありのままの自分よりもちょっとだけ理想の自分に近いという自己認識があります。酩酊して突然横柄な態度を取る人がいますが、普段はそのように振る舞いたくても、気が小さかったり、相手に遠慮して我慢しているのです。ネチネチと部下をいびる飲み方をする人は、普段は言いたいことも言えずに上司や部下に気を遣っているのかもしれません。

周りからは、「あの人、飲まなければいい人なんだけどね」と言われる。当人の意識との間にギャップがあるため、周囲の人たちは飲酒問題が深刻化していくうちに、ほとんどが離れて行ってしまいます。

「お酒さえ飲まなければいい人なんですけど……」という言葉は、アルコール依存症者の妻や子どもたちからよく出てくる言葉です。ただ、本人はそうは思っていません。それはお酒によるメリットを感じているということと、ブラックアウトしているから覚えていないということの両方が理由でしょう。ある家族に至っては、「飲まなきゃいい人かって、飲んでいないときを見たことがないんだから、わからない」と言っていました。笑い話のようですが、それが実感なのでしょう。

アルコール依存症の人は、実際、だんだん飲んでいないときがなくなってきて、四六時中お酒が入っている状態になります。お酒が体から抜けるのにどのくらいの時間が必要かというと、ビール中瓶1本（アルコール20ｇ）が分解されるのに男性ではおよそ2.2時間、女性では3時間程度とされています。これはあくまでも平均値で、目安にすぎません。大量に飲めば、それだけ分解時間は長くなりますし、分解しきらないうちにまたお酒を飲めば、常に酔いの世界にいることになります。

自助グループのミーティングなどで参加者の皆さんに「回復とは？」と聞くと、多くの人は「しらふで人間関係が作れること」と答えます。

お酒で自己肯定感を水増ししている人は、一度、飲んでいるときの自分をどう思うか、周りの人に聞いてみてください。耳の痛い話が出てきたら、自分の飲み方を見直すチャンスです。

アルコールが引き起こす、衝動的な自殺願望

先ほど、自己治療としての飲酒が、問題を一時的に棚上げさせ、自死することを防いでいる、という話をしました。確かにそういった側面がある一方、その効果はあくまでも一時的で、誰にでも有効なわけではありません。いつまでもは続かない、非常に危ないカードを切っている状態だとも言えます。

実は、アルコール自体に、自殺へのリスクを高める作用があるからです。

国立精神・神経医療研究センター精神保健研究所薬物依存研究部部長の松本俊彦医師が中心となって行っている研究で、アルコール問題、うつ病、自殺は「死のトライアングル」と呼ばれ、密接に関わり合っていることが明らかになりました。

松本医師らの調査によると、2007~2009年までの間に情報を収集した自殺既遂者76事例のうち、16事例において、亡くなるまでの1年以内にアルコール問題があったことが判明しました。この「アルコール問題」には、アルコール依存症の診断基準を満たさない、いわゆる問題飲酒レベルも含まれています。

ではなぜアルコールが自殺リスクを高めるのかという点については、問題飲酒によって引き起こされる心理社会的状況の悪化や、もともと持っているうつ病などのメンタルヘルス上の問題の悪化などが考察されていますが、ここではアルコールという物質そのものが持つ、直接的かつ急性の効果について述べられている箇所に注目したいと思います。

松本医師の著書より、少し長いですが該当箇所を引用します。

何よりも危惧すべきなのは、一定時間を経過した後の気分の変化です。みなさんは、宴会の二次会や三次会の終わりがけ、楽しい席であったはずなのに、なぜか不意に白けた、少し虚無的な気分になっている自分に気づいたことはないでしょうか。あるいは、楽しい宴会で思いがけず大酒した日の翌朝、何とも重苦しい気持ちを自覚したことはないでしょうか。

これらは決して酔いが覚めたわけでもなければ、二日酔いだけで説明できるものでもありません。これこそがアルコールの精神状態に対する影響と理解すべきです。アルコールは短期的に気分をあげてくれますが、時間経過とともに気分をむしろ下げるのです。最終的には、その日飲酒をはじめる前の状態よりも気分を落とします。憂さを晴らそうと痛飲する人が、しばしばかえって気持ちの収拾がつかない状態になってしまうのは、こうした理由によります。そして、中等量以上の飲酒であれば、その日の未明や翌朝の段階ではまだアルコールは分解されきらずに体内に残っていて、衝動性・攻撃性は高いままなのです。

アルコールによって気分が以前よりも落ちていて、しかし、衝動性は高まったままであったとした場合、その後、自分に何が起こりうるのかを冷静に考えてみてください。それも、自分が現実に解決困難な問題――行動に移す計画はないにしても、「死にたい」と考えるくらい困難な問題――を抱えていたとしたら……。

私が、悩みを抱えているとき、精神的にしんどいときほど、シラフであることが大切というのは、まさにそういった理由からなのです。

（『アルコールとうつ・自殺――「死のトライアングル」を防ぐために』松本俊彦　岩波書店　２０１４　38～39ページ）

飲み始めると、二次会・三次会が当たり前、という人には、腑に落ちる部分があるのではないでしょうか。飲みすぎた明け方や翌日に訪れる、身体的な不快感とはまた別の、妙な虚脱感。あんなに楽しかったはずの気分が、すっかり冷めてしまうあの感覚です。

松本医師によると、アルコールによって引き起こされるこうした精神状態は、アルコール依存症者に限らず、誰にでも起こりうるものとされています。苦しくて飲む、つらいから飲む、薬物を摂取するような飲酒の仕方。このような、飲まざるを得ないような何かを抱えている人こそ、お酒を飲むべきではないのです。

最初から「アルコール依存症」の人はいません

アルコール問題の進行には、「初飲」「常飲（習慣飲酒）」「問題飲酒」「飲酒パターンの変化」「連続飲酒」の5段階があります。ここからは、ご自身の飲酒歴を振り返りながら読んでみてください。そして、この問題に関わる援助職の方は、ぜひ飲酒歴と生活歴との間にある何らかの相関性を考えながらアセスメントしてみましょう。

「初飲」は、人生で最初に酒を飲んだ年齢のことです。記憶の中にある限りで、最初に酒を口にした年齢は何歳でしょうか。これには、自発的なものだけでなく、例えば親から飲まされたといったような非自発的な飲酒、もしくは大学のときに友達から誘われて初めて大量に飲酒し、急性アルコール中毒になって救急搬送された、といったエピソードなども初飲に入ります。

原家族の機能不全の問題が大きい人は、初飲が早い傾向があります。私が話を聞いた方で、ミルク代わりに哺乳瓶でビールを飲まされたという女性がいました。本人はあまり覚えていなかったのですが、2〜3歳ぐらいから飲まされていたことを兄弟が証言しています。まさに児童虐待です。その人は、母親がアルコール依存症と摂食障害で父親が薬物依存症でした。おそらく母親も常に酔っぱらいながら育児をしていたのでしょう。飲酒しての子どもへの暴力もあったようです。結果的に、その人も大人になり、母親と同じアルコール依存症になってしまいました。

先述した、夫婦げんかの多い家の子どもが梅酒を飲んでいた話も、家庭内の持続的な緊張状態が飲酒に結び付いた例です。家の中で包丁が飛び交ったり、頻繁に親が家を出ていったり、もしかしたら、どちらかが死んでしまうのではないかという状況は、幼い子どもにとっては常に自身の生存の危機に直結するものです。


こういった暴力的な環境（マルトリートメント：不適切な養育）で育った子どもは、安全の感覚や他者への信頼感が育たないでしょう。アルコール依存症の問題がある家庭では、高頻度で児童虐待やＤＶの問題が起きることがわかっています。面前ＤＶといって、子どもの前で家族間のＤＶ、だいたいは父親から母親への暴言・暴力が行われる家庭も少なくありません。そうした環境下では、子どもは常に緊張した中で生活しなければならず、家庭内に安心できる場を得られません。

福井大学子どものこころの発達研究センターの友田明美教授の研究では、面前ＤＶを経験して育った子どもは、そうでない子どもに比べて脳の「舌状回《ぜつじょうかい》」という部分の萎縮が起こることが明らかになりました。こうした脳の変形は、マルトリートメントの内容や種類によって起こる部位が異なり、生涯にわたってその影響がさまざまな形で表出するとされています。アルコール問題も、その影響の一つと言えるでしょう。

初飲の早さは地域性とも関係があり、北海道や東北など北のほうの地域では比較的初飲が早いと言われています。クリニックの患者調査でも、北のほうは寒い気候のせいもあってか初飲が早い人が多いです。以前、複数の秋田県の出身者から同じエピソードを聞いたことがあります。子ども時代に、「泡だったらいい」と言われて、ビールの泡だけ飲まされたという話です。一方で、沖縄の人も初飲が早いというデータがあります。このことからその地域での飲酒文化からも深く影響を受けていると考えられます。

「常飲」は、習慣飲酒、つまり習慣的に飲むようになった年齢です。大学から、あるいは社会人になってからが多いと思いますが、何かイベントなどがあったときに付き合いで飲むことを「機会飲酒」や「社交飲酒」といいます。そこから、特にイベントがなくても飲む段階へ進んだのが、「習慣飲酒」です。定期的な晩酌も習慣飲酒の一種になります。

その次が「問題飲酒」。これは、お酒を飲むことで何かを失った最初の年齢です。一番わかりやすい基準となるのがブラックアウト、記憶を失うことです。酩酊して、ある時点から後の記憶が消えてしまうことを指します。また、転倒してケガをすることは身体的な損失になります。それから、時間。終電で乗り過ごして終点まで行ってしまい、そこから1万円以上かけてタクシーで帰る。毎回繰り返していると、これには経済的な損失も含まれてきます。財布をなくすのもこれに該当します。

そして、信頼も失います。飲んだ次の日にLINEが既読スルーになるとか、メールが返ってこないとか、なんとなく周囲が冷たいといったことを経験している人は少なくないのではないでしょうか。これは、人間関係を失うということになります。

記憶の喪失、経済的損失、身体的損失、人間関係の損失、このあたりが多いですが、さらに、けんかというケースもあります。けんかして警察署に留置されたが、翌朝覚えていない。たびたび、逮捕勾留される。また、酔っぱらって道路で寝てしまい、財布を盗られるということもあります。

アルコール問題の進行　5段階

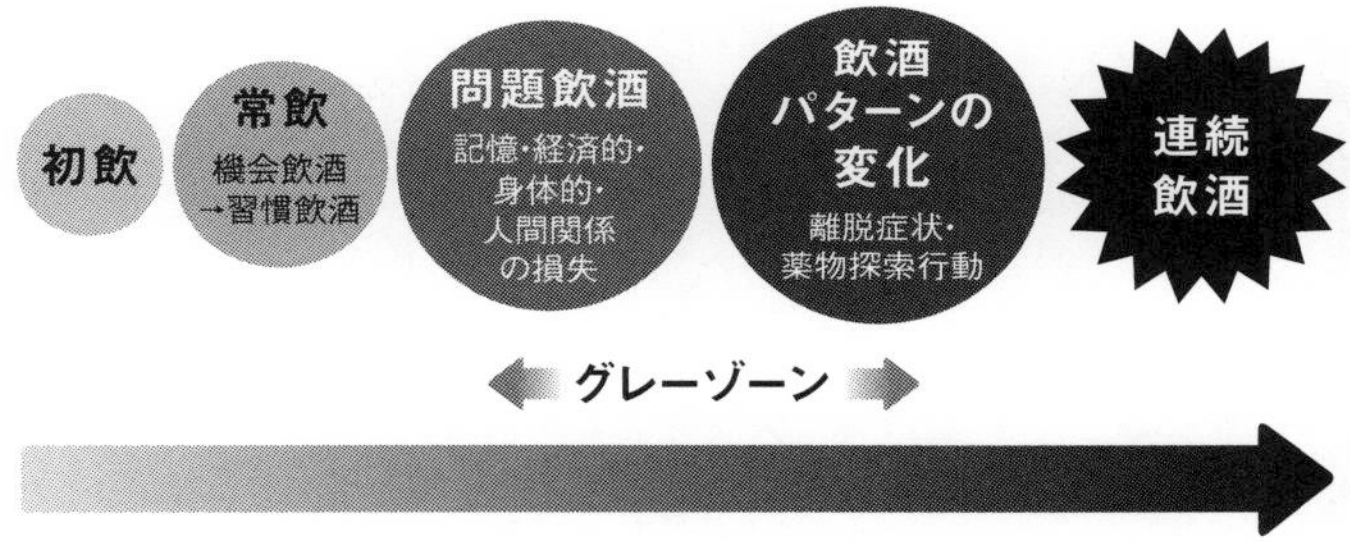

このように酒を飲み始めて習慣飲酒を経て、その後に起こる損失体験が問題飲酒の開始年齢となります。ここまでは、お酒を飲む人はどれか一つは経験しているのではないでしょうか。例外的なパターンでは、最初の飲酒が問題飲酒になるケースです。大学生の新入生歓迎コンパなどのいわゆる「一気飲み」で救急搬送されたり意識を失うような飲み方をすることが該当します。

ここからが診断がつくような飲み方です。「飲酒パターンの変化」とは、飲むたびに問題飲酒になるという飲み方です。飲むたびにブラックアウトする、飲むたびにケガをする、飲むたびに家に帰れないという飲み方で、この頃から離脱症状が出始めます。離脱症状とは、急激に酒の量を減らしたり、急に酒を断ったりしたときに出てくる症状で、手の震え、大量の汗、不眠、うつ、ひどい人は幻覚や幻聴のような精神症状が出現します。

この飲酒パターンの変化が起こっている段階では、酒を減らそうとするとさまざまな身体症状が出てきてしまうため、なかなか自力で減らすことは難しいです。手が震えて仕事ができない、字がうまく書けないといった離脱症状がしんどいので、それを止めるためにまた酒を飲む。すると、本人の中では「酒は手の震えを止めてくれる。やっぱり、酒は素晴らしい」と勘違いするようになってしまいます。本当は逆で、離脱症状で手の震えが起こっているのですが……。

さらには、薬物探索行動が出てきます。ここまで来ると酒という概念ではなくて、エチルアルコールという薬物になります。とにかく、エチルアルコールを体に入れないと、という気持ちになってしまうのです。エチルアルコールであれば何でもいいので、日本酒がなければ料理酒でもいい。昔よく聞いたのは、ヘアトニックを飲んだという話です。マウスウォッシュを飲む人もいますね。最近のトレンドは消毒液のようです。クリニックの入り口にある感染症予防のための消毒液の減りがやけに早いと思ったら、患者さんが飲んでいたということがありました……。刑務所でもこのような現象が時々起きるようです。ある人は、オレンジジュースを混ぜると「スクリュードライバー」になると言っていました。

極めつきは墓場です。お盆やお彼岸の時期に墓場に行けば、お参りに来た人がお供えしたカップ酒がただで飲めますから。あとは盗むという人もいます。コンビニで酒を万引きして、トイレで飲んで出てくる。ひどい人になるとホームレスを襲って盗む人もいました。

こうして見ると、前段階の「問題飲酒」と「飲酒パターンの変化」の間にかなり大きな「グレーゾーン」と言われる断絶があります。

問題飲酒を繰り返していると、例えば、5回に1回問題飲酒を起こしていた人が、徐々に3回に1回の頻度になってくるわけです。さらには飲むたびに問題飲酒になり、気がついたときには、すでに離脱症状から抜け出せなくなっていたということになります。

最後は「連続飲酒」。もはや自力で酒を断つことはできなくなります。つまり、どん詰まりの中で惰性で飲酒する状態です。精神科に入院したり、頻繁に救急搬送されたりするレベルです。医療機関や警察の介入がないと酒が止まらない状態と言えます。

以前、ある患者さん(以下、Oさん)の家に訪問に行ったときのことをよく覚えています。Oさんは生活保護を受けて都内の団地に住んでいました。生存確認のために訪れたら、ガリガリの脚で歩いて、排泄物を垂れ流しながら出てきました。一見して、Oさんがどのように暮らしているのかがわかりました。一日中酒しか飲まず、固形物を受け付けられなくなり、栄養失調状態で脚が異常に細くなって、失禁した状態で生活する。これが、アルコール依存症の人の最後、死ぬ前の飲み方と言われています。

でも、Oさんも数年前まではまだ仕事も何とかできていたし、家族もいたのです。それが、アルコールで全てを失い、借金を抱えて、一気に崩れてしまいました。

連続飲酒というのは、飲んでも苦しいし飲まなくても苦しいという状態で、「どうせ苦しいんだったら飲むか」となってしまう。そうすると、お酒を飲んでも吐いてしまうし、何を口に入れても吐いてしまいます。でも、何とかして飲む。そうまでしてなぜ飲むかというと、そこにも認知の歪みがあり、Oさんは「日本酒は米だ」とずっと言っていました。ご飯を食べなくても、酒が米だから、栄養を摂らなくていいと思い込んでいます。こうしてOさんは、最後まで入院を拒否し衰弱して亡くなってしまいました。

連続飲酒の中でもひどい飲み方を、「山型飲酒サイクル」といいます。連続飲酒と短い断酒を繰り返す飲み方で、「背中に死神が見える飲み方」とも言われます。

これはつまり「とことんまで飲む」か「全く飲まない」か、二つに一つの飲酒行動しか選択できない状態に陥ってしまったことを示す飲み方です。脳が陶酔量を記憶し、これを刻み込んでしまった結果、耐容量の低下との間にアンバランスが生じ、山型飲酒サイクルという飲み方しかできなくなっているのです。

「飲酒パターンの変化の年齢」－（マイナス）「常飲の年齢」の数字がゼロに近ければ近いほど、その人の抱えている問題が大きいと言われています。この方程式は、クリニックで300名以上のカルテから飲酒歴をヒアリングし課題の抽出を行った結果、その相関性が確認されたエビデンスです。酔うために飲む、薬物のようにお酒を体に取り入れるといった飲み方は依存の形成を早め、それだけ「酔わざるを得ない重大な問題を抱えている」ということになります。

例えば、20歳のときに常飲を始めて、飲酒パターンが変化したのが50歳だったら50－20＝30。これはよくある依存症のパターンですが、常飲が社会人になってからの22歳で、飲酒パターンの変化が25歳だと、25－22＝3で、非常に短いと言えます。そういう人の成育歴をたどっていくと、複数の問題を抱えた家庭環境だった、特に虐待を受けて育ったというケースがよく見られます。

短期間で依存が形成された場合、飲酒歴のほかに生活歴にも注目することが重要です。学生時代の不登校やいじめの有無、学力の問題、何歳で結婚したか、犯罪歴、入院歴、そういったライフサイクルの中で経験する生活歴と飲酒歴を相関させて見ると、生活歴の中で何かがあった時期に飲み方が変わっていることがわかります。人はいきなり大量にお酒を飲むようになるわけではなくて、ライフサイクルの中で何か大きな出来事があったときに飲酒量が増える傾向にあります。

よくあるのは離婚や仕事を失ったときなど、何らかの大きな喪失体験で、飲む量が一気に増えます。やはり「孤独」とセットになっていることが多いのです。

飲酒歴は生活歴と確実に相関関係があります。自分が問題のある大酒飲みだと思っている人はほとんどいないでしょうから、人生を振り返って、飲み始めたのは何歳で、お酒で失敗したエピソードが何歳か、など客観的な数字を思い返してみること自体に意味があるのです。ぜひご自身の飲酒歴を振り返ってみてください。

お酒に寛容な国、日本

日本はお酒に対して寛容な文化を持つ国です。

お正月はもちろん、結婚式や葬式などの冠婚葬祭、職場の懇親会、新年会、忘年会、お花見、歓送迎会、暑気払い、最近ではＢＢＱ、ハロウィン、クリスマスなど……一年中さまざまな行事に、飲酒はつきものです。酒の席における「無礼講」という考え方もいまだに根強く、飲酒は行為責任を免除される免罪符のような意味づけがまかり通っています。

同じ嗜好品であるたばこに関しては、この10年で健康被害の認知が進み、喫煙をめぐる状況は様変わりしました。しかし、お酒に関しては、テレビCMや電車の中吊り広告などで目にする機会も多く、３６５日24時間、どこでも安くお酒を買うことができます。

内科の医師でも、自身が酒好きな場合、依存症の患者を診察しても「酒を飲めなくなるのはかわいそうだ」と思ってしまう人がいまだにいるようです。それで解毒だけし、つまり飲める体に戻して専門治療へつなぐことなく退院させてしまいます。

しかしその患者は、しばらくするとまた入院してくることになります。このような入退院を内科で繰り返している人は相当な数存在すると考えられます。医師ですら、アルコール問題を治療の必要な病気であるとは考えず、「ほどほどに」などと見過ごすことがあるのは、それほど飲酒が日常の一部として欠かせないものと考えられているからでしょう。

諸外国では、日本と比べてはるかにお酒に対する規制が厳しいのはご存じでしょうか。例えば、アメリカの多くの州では、公園や歩道など公共の場での飲酒は禁止されており、禁止エリアでの飲酒は、軽犯罪となるケースもあります。お酒の販売についても厳しい規則があり、州によって販売できる時間帯が定められていたり、お酒の種類によって販売場所が異なり、アルコール度数の高いお酒の販売は、専門店に限られていたりすることがあります。

また、国や地域によっては宗教的な理由でお酒を飲まない人も多いです。イスラム諸国は料理酒やアルコールが入った調味料も認められないほど厳格な「禁酒国」ですし、キリスト教でも宗派によっては禁止されています。また、キリスト教圏では日曜日は安息日のため、アルコールは販売禁止となる地域もあります。

それ以外の国でも、飲酒は「不道徳な行い」とされ、しないことが望ましいと考えられている地域は多いのです。そのため、酔っぱらいに対する視線は非常に厳しいものがあります。治安の問題もあり、そもそもそこまで泥酔すること自体がありえません。電車や路上で酔っぱらって寝ている人がいるような光景は、外国人からすると、相当異様に見えるのではないでしょうか。

近年、東京・新宿のゴールデン街を訪れる外国人観光客が急増しています。それも店の外のベンチなどに座って、コンビニで買ってきた缶チューハイを飲んでいるのです。日本ではいつでも水と同じくらい安くお酒を買えて、公園でも路上でも、どこでも飲むことができます。普段飲酒が規制されている国から来た外国人たちは、日本ならではの「無礼講」気分を味わっているのかもしれません。


しかし、いくらお酒に寛容な国、日本だとはいえ、日本人もTPOをわきまえて飲酒する時代を迎えています。

痴漢やセクハラ、近年問題視されるようになった「カスハラ（カスタマーハラスメント）」などの背景に、飲酒問題があるケースが多いことは、あまり知られていません。日本では普通に新幹線や電車内でお酒を飲んでいる人を見かけることがありますが、国土交通省の調べによると、2018年度に起こった駅員への暴力事件670件のうち、半数以上は飲酒客によるものでした。痴漢においても、飲酒して行為に及ぶ人の受診がコンスタントにあります。

暴力やハラスメントにとどまらず、ホームからの転落事故など、飲酒に関連した事件や事故は相当数に上るはずです。公共の乗り物での飲酒については、早急な対策が求められています。

２０１９年６月には、渋谷区でハロウィンや年末のカウントダウンなど期間とエリアを規定した上で、路上での飲酒を禁止する条例が成立しました。前年のハロウィンで４人の逮捕者を出した騒ぎを受けて、近隣店舗での酒類の販売自粛を呼び掛けたりもしています。

２０１４年には逗子市、翌年には鎌倉市が、海水浴場の浜辺での飲酒を禁止にしました。海水浴客のマナーの低下や家族連れからの苦情などを受けての決断でしたが、一時的な客数の減少はあったものの、ファミリー層や地元の人たちからは、誰もが安心して来られるビーチになったとして評価されているようです。

公共の場所での飲酒を規制したからといって、お酒自体は近隣の飲食店などで飲むことができるのですから、今後、観光地などで飲酒規制を行う場所は増えていくと思います。

　こうした規制について話が及ぶと、必ず「何でもかんでも禁止すればよいのか」と憤る人がいます。もちろん、規制せずとも問題がなければ、それが最も望ましいことは言うまでもありません。ですが、なぜそこまでして飲みたいのか、「なぜ電車の中や、駅のホームでまで飲む必要があるのか」について、一度考えてみてもよいのではないでしょうか。

第3章

「お酒やめますか、人間やめますか」の問いに、新しい選択肢を

久里浜医療センター 減酒外来の取り組み

アルコール依存症の治療は「断酒」が基本――。これは揺るぎのない大前提です。でも、依存症の診断がついてしまったら、一生飲めなくなるのではないか……という不安から、受診を避けているプレアルコホリックの方たちが多いのも事実です。そんな中、「やめなくてもいい」という新しい選択肢を提示したのは、アルコール依存症治療では「老舗」の独立行政法人国立病院機構久里浜医療センターでした。2017年に同センターに「減酒外来」が設立されたとき、筆者の周りの医療関係者の間で、「あの久里浜病院が!?」と衝撃が走ったのを覚えています。

断酒一辺倒のアルコール依存症治療の流れに一石を投じることとなる「減酒外来」の立ち上げには、どのような背景があったのか。設立当初から患者さんの治療にあたっている、湯本洋介医師にお話を伺いました。

「こちらにいらした患者さんは、まず、ご自身のアルコール使用障害の重症度がどれくらいの位置にあるのか、ということをさまざまな点から評価していきます。

初めにお酒によってどんな問題が起きているのか、ということを詳しく伺います。健康問題なのか、家族間の問題なのか、仕事など社会的な問題を引き起こしているのか……事前に書き起こしてもらうことで、問題点の認識を深めてもらいます。

その後、血液検査を行い、肝機能など体へのお酒の影響を数字で評価します。そして、お酒の純アルコール量の換算式「アルコール飲料の量（㎖）×アルコール濃度（度数／100）×アルコール比重（0.8）」をお伝えし、飲んでいるお酒に含まれるアルコールの量を算出します。

それを元に、お酒を飲んでいるスケジュール、つまり、どれだけの頻度でどれだけのアルコール量を摂取したかという数字を、カレンダーに記入してもらいます。

お酒の問題点を40点満点で付けるAUDIT（WHOの調査研究により作成されたアルコール依存症のスクリーニングテスト　本書126ページ資料①参照）も行います。

これらから、どれだけお酒を飲んでいるのか、いわゆる依存症に入るのかどうか、アルコール使用障害の重症度を判断します」

従来のアルコール診療科は、「断酒一辺倒」でした。世間ではアルコール依存症の治療は、一滴も飲むことを許されず、「やめられない者は去れ」と言われる道場のようなイメージがあるかもしれません。しかし、湯本医師の口調からは、そういった厳しい雰囲気は伝わってきません。

「確かに、これまでアルコール診療科の診察では、医師側から断酒を指示することがメインだったのです。そうすると、患者さんとしても断酒を強要されるイメージが先に立ってしまいなかなか受診しづらい、という現状がありました。

そこで、減酒外来では、今の患者さんの状態をお伝えした上で、患者さんご自身の選択を尊重することを重要視した治療をしています。直ちにお酒をやめなければいけないというほどの状況ではないけれども、ちょっと問題を感じている方にとっては、まずは飲酒量を減らしたり、問題を軽くしたりすることを目指した外来のほうが受診しやすいですよね。

減酒薬『セリンクロ（ナルメフェン塩酸塩水和物）』の治験に使われたＢＲＥＮＤＡ法という専門的な面接方法があるのですが、軽症な方には、このＢＲＥＮＤＡ法がよいと言われています。

ＢＲＥＮＤＡ法は、初診の段階で30分以上かけて、患者さんがどの程度の重症度で、どのような問題があるのかという評価をします。それを伝えた上で、患者さんと一緒にどうするかを決めていきます。お酒をやめたいのか減らしたいのか、それとも今の飲み方を変えたくはないけれども、問題を減らしたいのか……主にこの三つのパターンですが、患者さんのニーズを聞いて、それに合わせたアドバイスを提供する形で治療を進めます。

基本的な理念としては、全体を通して患者さんの選択に協調する、尊重するような形をとります。お酒をもうやめたいという方には、一番主流の治療である認知行動療法をご紹介したり、断酒を目的とした投薬治療を提供したり、自助グループへの参加など、断酒に向けたサポートについてご説明をします。

お酒を減らしたい方には、例えば飲む前に食事を摂ることや、お酒の濃さを調整すること、飲み会の時間が長くなるのを避けることなど、具体的な方法を提案した上で、目標を決めてもらいます。一日に飲むお酒の量をどれくらいにするか、休肝日を何日ぐらいにするかといったことを一緒に話し合って、実現可能なところで目標を設定します。その上で、レコーディングをしてもらいます。

レコーディングは生活習慣を変えるために唯一エビデンスのある方法とされています。記録アプリ、例えば沖縄県が作った『うちな～適正飲酒普及啓発カレンダー（略称：節酒カレンダー）』や、減酒薬セリンクロを販売している大塚製薬の作った『減酒にっき』といったスマホアプリを使って記録をつけることをお勧めしています。ご高齢の方やアプリに馴染みのない方には、日記にどれだけ飲んだかを毎日記録してもらい、通院の際に目標を達成できたかを一緒に振り返ります」

レコーディングしたものを元に、どのような治療をするのでしょうか。

「基本は、レコーディングをしてくる段階で患者さんをとにかく褒めてあげることが大事です。『こんなに記録をつけて来られる方は滅多にいませんよ』と。それで、酒量を減らせていたら、『よく減りましたね』、どのように減らしたかを聞いて、『それはすごいですね』と褒めます。それから、お酒を減らしてみてよかったことを振り返ってもらっています。どんなよいことがあったかを意識できると、減らす動機になってくるからです。そして、次の目標はどうしますか、と話し合っていきます」

これは世界標準となっているカウンセリング法である「動機づけ面接」[※1]の技法の一つで、まるでマンツーマンで指導を行うパーソナルトレーニングジムのようです。ジムで結果を出すトレーナーは褒めるのがすごく上手で、その人に褒められるから頑張ろうという気持ちになるそうですが、信頼関係のできている人から評価されると効果的なのです。

お酒を減らすための工夫

減酒外来では、患者さんの飲酒量を減らすために、次のような工夫を行うことを推奨しています。

□飲むときだけお酒を買う。買い置きをしない
□飲酒のスピードをできるだけ遅くする

□一口飲んだら、コップを必ずテーブルに置く
□飲む前に食べておく。水分を摂っておく
□ノンアルコール飲料を飲む
□周りの人にお酒を減らしていることを宣言する
□飲酒中に、飲んだお酒の量を思い出す
□二次会を避ける

ごく一般的にできそうな心がけばかりですが、これらを全て行うことができれば、物理的にかなり飲酒量を減らすことができそうです。

一時期、自助グループの集まりでコーラが流行ったことがありました。とにかく飲みたい、いわゆる「渇望」が来たときにコーラで対処しようというのです。筆者の勤める榎本クリニックのデイケアでも、みんながコーラを飲んでいる時期があって、それで実際に酒をやめられた人もいたのですが、今度は逆に糖尿病になる人が出てきて、これはよくないということもありました。「炭酸でごまかすのは完全断酒じゃない」と言う人もいます。

「炭酸水が好きな方は多いですよ。0キロカロリーですし。一方で、炭酸飲料を飲んでしまうと余計にアルコールが入っていないことに意識が向いてしまうので、飲まないときは、お酒とかけ離れたジュースなど、普段なら決して飲まないようなものを飲んで、『今はお酒を飲むときではない』と、自分の意識を切り替えるという人もいます。炭酸水やノンアルコール飲料を飲んでみることでも、体を動かすことでも、いろいろなアイデアを試して、ご自身に合うやり方を見つけてもらうのが一番です」

運動はお酒を減らすことにも有効

最近では依存症治療にも運動を取り入れる施設が増えています。横浜のギャンブル依存症の回復施設「ワンデーポート」や、榎本クリニックでも、プログラムの中に運動を取り入れています。例えばウォーキングでもいいですし、ジムに行くでもいいのですが、特に運動が苦手な人ほど、劇的に習慣が変わる人が多いです。

以前はミーティングを延々とやっていましたが、週に1回でも運動を取り入れることで、ＱＯＬ（生活の質）が上がる方が多いという実感があります。眠ることや食べるものに気を遣うとか、自分自身に関心が向けられるようになるという意味では、ミーティングももちろん大事ですが、運動がより効果的だという気がしています。

「お酒をやめたり減らしたりしていく中でも、体を動かすことは効果的だというお話はしています。減酒に特化した運動プログラムはありませんが、私はヨガを勧めたりしています。『マインドフルネス瞑想』も依存症治療ではポピュラーなものの一つですが、ずっと座っていることに抵抗のある方は、体を動かしながらのほうが集中できる場合もあります」

断酒の場合は、仲間と集まって問題を語り合う「ＡＡ（Alcoholics Anonymous《アルコホーリクス・アノニマス》）」や「断酒会（全日本断酒連盟）」などの自助グループに効果があるとされていますが、減酒の場合もグループで行う効果はあるのでしょうか。

「以前、『減酒カフェ』という集まりを開催していました。看護師一人とスタッフが参加してアドバイスしながら、ほかの人の減酒のやり方を聞いて、それをご自身にも取り入れてもらうなど、目標を同じくする者同士でコミュニケーションが取れるのがよかったようです。その点は断酒目的の自助グループと一緒かもしれません。

ただ、平日の昼間に開催していたので、現役で働いている方があまり来られないために一旦中止になっています。都内で夜や土日などに開催できたら、もっと人も集まりやすくて、需要がありそうですね」

減酒外来を受診するのはどんな人？

では、実際にどのような方が減酒外来を訪れているのでしょうか。

「来院されるきっかけとして一番多い理由は『ブラックアウト』です。記憶をなくしてしまうブラックアウトを頻繁に起こす方は、アルコール依存症とは言えないまでもその要素はあって、コントロールがきかない傾向があります。例えば、週末だけブラックアウトを起こして、それが続いているから心配で来たという方が、最近とても多いです。頻度にも結構幅があって、半年とか1年に1回ではあるけれど記憶をなくしてしまうことがあるから来た、という方もいらっしゃいます。

二番目は健康診断の数値が悪かったから来ました、という方。三番目が暴言や暴力が出てしまったという方ですね。『複雑酩酊』といって、酔い方が過激になる傾向の方たちです。四番目は、とりあえず今の飲み方が心配だから来たという方です。特に問題は起こしていないけれども、何となく酔い方が周りと違うし、このペースで飲んでいて大丈夫か心配だ、というようなレベルの方もいらっしゃいます。毎日、ビール500㎖を2本とストロング缶350㎖2本を飲み続けていて、検査でγ-GTPの数字が基準値の少し上ぐらいで、このまま飲んでいくと数値が悪化するんじゃないかと心配で来られた方もいらっしゃいました。

お酒に関しては、ゼロにすることが体の健康に一番よいということは徐々に明らかになってきています。ですから、どのような飲酒習慣の方でも、減らしていくことができると健康度が上がっていきますので、ゼロに向かうように、現状の把握と目標立てのお手伝いをしています。

『減らす』でもいいということをアピールして前面に押し出したことで、問題が軽い、あるいは起こしていない段階で、『ちょっと相談に行こうかな』と考える人が来院されているという状況です。保険診療ですので、その点も通いやすいポイントではないでしょうか」

患者さんの年齢層や男女比は、どのような傾向があるのでしょうか。

「男性、女性ともに40代がピークです。1年間の統計をとると、男性が81人で女性が11人でしたので、女性のほうが少ないです。傾向としては、現役で働いていて仕事も安定しており、家族関係も壊れていない、問題が軽くて社会機能が保たれている方が中心と言えるかと思います。

20代の方もいらっしゃいます。20代の方が来院される理由の多くは複雑酩酊です。悪酔いして警察に厄介になって、どうしていいかわからなくて来たという方が多い印象です。

通院のペースは重症度により人それぞれですが、依存症の診断がついた方は割と頻繁で2週間に1回、問題が軽い方では2~3カ月に1回くらいです。平日の昼間に仕事をしていて、いわゆる重度のアルコール依存症の方たちよりも忙しく、なかなかここ（久里浜）まで来られないという方が多いので。

通院と通院の間もレコーディングをきちんとしてもらって、日々のフィードバックができると、それくらいの頻度でも十分効果はあります。ここは都心から距離があるという場所柄もありますので、アクセスのいい病院だと、もう少し頻繁になるかもしれませんね」

どんなお酒をよく飲むのか

筆者の勤務する榎本クリニックでは、比較的重度のアルコール依存症の方が来院されることが多いのですが、ここ数年で患者さんが飲むお酒の種類が変わってきた印象があります。患者さんの家に訪問に行くと、ストロング系のお酒がとにかく多い。昔は焼酎の4ℓボトルやカップ酒が主流だったのですが、最近、生活保護を受けている患者さんの多くがストロング系チューハイに移行しています。

減酒外来を受診する患者さんは、普段どういったお酒を好んでいるのでしょうか。

「具体的にお酒の銘柄については聞いていませんが、確かに皆さんストロング系が好きで、よく飲んでいらっしゃいます。健康に問題を起こすリスクが予想される純アルコール量は男性で一日40gと言われていますが、9%のストロング系チューハイ500㎖缶を1本飲んだだけでもアルコール量は36gありますので、かなりそれに近づきますし、2本飲んでしまうと、即オーバーしてしまいます。甘くて飲みやすいのに、アルコール量の計算をしてみると思っていた以上の量になっていて驚く方もいますね」

減酒薬も効果的

2019年3月には、お酒の量を減らすための薬として初めて、セリンクロが発売されました。減酒外来でも、依存症の診断を受けた患者さんに処方されて一定の効果を上げているそうです。

「お酒を飲み始めると、どんどん酩酊感を求めて飲み続け、コントロールがきかなくなるのがアルコール依存症です。セリンクロには、飲みたい気持ちを抑え、『ここまででいいかな』という感覚にさせる効果があります。飲んでいる量や、飲酒をやめているかどうかにはこだわらず、とにかくお酒で被る悪影響を減らすことを想定して処方しています。

セリンクロの特徴としては、酔いを求めてたくさん飲んでしまって、ブレーキがきかなくなるような傾向がある方には効果的です。現在の医学界は予防医学的な観点や早期介入がトレンドですので、精神科のアルコール依存症診療でも、そこに注目をしています」

榎本クリニックでは、現在のところセリンクロの処方には消極的です。というのも、重症例の方が多く、一時期処方したところ、「セリンクロがあるとお酒がうまく飲める」という誤った情報が患者同士の間で広まり、あまりいい影響がなかったため、今は基本的に断酒のための薬、抗酒剤の「シアナマイド」と「ノックビン」、そして飲酒欲求につながる神経の過剰興奮を抑制する「レグテクト」が処方されています。

減酒外来でセリンクロを使う有効性、治療的な効果とは、どのようなものなのでしょうか。

「効果としては、『記憶をなくさなくなったのでよかった』という声が大きいです。また、暴力・暴言などの複雑酩酊を起こしてしまう方は、『お酒のトラブルがなくなった』とおっしゃっています。連日純アルコール量で100gぐらい飲んでいたのが40gぐらいに減って、次の日への影響がなくなった、という人もいます」

セリンクロは、頓服的にお酒を飲む1~2時間前に内服するというところも、今までのアルコール依存症治療薬とは根本的に異なります。

「セリンクロの一番の目的はQOLを上げることです。海外では治験の段階で、QOLが改善するというエビデンスが出ているので、今後は日本でもデータを見ていく必要があります。セリンクロで減酒をし続けることで問題がない状態が続けば、結果的にその人の幸福度が上がるわけですので、そこを目指していますね」

飲酒による問題行動が結果的に起こりにくくなるセリンクロですが、いいことずくめではなく、副作用もあるそうです。

「副作用として、吐き気・めまい・眠気があります。出る方のほうが少ないらしいのですが、うちの減酒外来では、処方した方の４割ぐらいに出ています。それで服用をやめてしまう人もいましたが、セリンクロを飲まなくても、そもそもお酒を飲みすぎれば吐き気や眠気やめまいが起こることはあるので、それならブラックアウトがなくなる、などのメリットのほうが上回るのではないでしょうか」

減酒外来に通院している患者さんのうち、２割くらいの方がアルコール依存症の診断を受けているそうです。そういう方が減酒外来で実際にお酒を減らしていって、生活の質をきちんと維持できているケースはあるのでしょうか。

「初診の時点でアルコール依存症の診断項目に全く引っかからない方は、来ているだけで結構減らすことができて、『割と満足できる飲み方になりました』とおっしゃって半年間くらい通って終わりというケースが多いです。

しかし、アルコール依存症のチェック項目が一つでもついてくると、なかなかやめづらい、想定した量の習慣にできづらい感じがしています。ですから、そういった方たちに関しては、投薬治療も考慮に入れます。それでも減らせない方は断酒に切り替えていくことになります。

最初に依存症の診断がついた方には、『体質として依存症の傾向がありそうだから、ゼロにするのが一番安全でベストです』という話はします。『もし減酒が難しそうだったら、いっそ断酒に決めてみたほうが、やりやすいかもしれません』という感じです。

依存症の診断がついてしまうと、断酒がベストの方向性になりますので、厳密に毎日と決めることはしませんが、『お酒のない習慣を続けていきましょう』という目標で進めていきます。

実際には、来院した患者さんの4割くらいの人は治療を途中でやめてしまいます。都内からは通いづらいという問題も一つありますが、やはり脱落していくのは、アルコール依存症の典型例の人が多いですね。こうした方たちをいかにして断酒に結びつけるかということが今後の課題です。減らせないから通うのをやめてしまった人たちが、断酒に道を切り替えて、また来てくれればいいのですが、そう簡単にはいきませんから。薬の処方があれば通院ペースが維持されやすいので、それで継続につながればいいと思います」

依存症治療に一石を投じた「減酒でもいい」というメッセージ

筆者がソーシャルワーカーとして現場で働き始めたのは20年ほど前で、まだ「久里浜方式」[※2]と呼ばれる断酒一辺倒の治療モデルが主流の時代に依存症についての研修を受けました。

その後、米国で開発された心理社会的外来治療プログラムのひとつであるマトリックス・モデル[※3]が入ってきて、SMARPP[※4]（せりがや覚せい剤依存再発防止プログラム）、動機づけ面接法、自助グループでも比較的短期間でAAの「12のステップ」（本書176ページ資料③参照）を学ぶことができるリカバリー・ダイナミクス・プログ[※5]

ラムと、依存症の治療法は多様化していきました。この過渡期のような状況の中で、最初に教育を受けたやり方である久里浜方式の印象は、私の中でいまだに根強くあります。

以前は都立松沢病院で依存症を担当していたという湯本医師は、新たに開設した減酒外来を担当することになり、戸惑いや葛藤はなかったのでしょうか。

「減酒外来は久里浜医療センターの樋口進院長の指示で開設されました。ヨーロッパを中心に海外のガイドラインでは、積極的に減酒する方法を使おうとするのが主流です。院長はその流れを日本でも進めていこうということで、取り組むことを決めたのでしょう。

最初は特に断酒会の方々などからの反発を予想していました。また、長く断酒されている方が『減酒でもいいのか』ととらえてしまう点は一番懸念していました。

海外のいろいろなガイドラインを見ても、基本的に、アルコール依存症の方には断酒がベストです。断酒が一番安全で、その方向を目指すべきであるということは変わりません。

私も断酒会で減酒の話をすることがありますが、断酒会の方々や長く断酒をされている方々に対して、減酒外来が断酒をしている方に節酒を勧めるものでは決してないということは、強調しています。結果的に、それほど反発やクレームが来ることはなく、今に至っています。

大切な人間関係や社会的地位などを失う、いわゆる『底つき』をさせないうちに、アルコール依存症の治療に持っていくためにはどうすればいいのかということで生まれたのが動機づけ面接法で、減酒もそこに寄り添う形で同じ方向を向いています。

従来のアルコール依存症の治療につながる方は、そこにたどり着くまでの過程で、すでに大事なものをかなり失っていたのではないかと思います。ほとんどの人は心のどこかではやばいと思いながらも、飲み続けてきたはずです。『私は全く何の問題もなく、ちゃんとお酒を飲んでいます』と言える人はいないと思うので、減酒外来という、ちょっとまずいと思ったときに相談できる所ができたことはすごくいいと思いますし、治療のハードルがとても低くなったと思います」

すでにたばこは害だというイメージが強くなっており、禁煙外来は一気に普及しました。しかし、日本はまだお酒を飲むことに対してある程度寛容な反面、お酒をやめるということに関しては、いわゆる「アル中」像のハードなイメージがずっと残っている印象です。

「この減酒外来が広がることで、そうした依存症の方のスティグマをなくしていくことにつながるかもしれないという期待もあります。

お酒の飲み方で失敗する人は、もう上手に自分をコントロールできなくなっているというようなイメージが世間にあると、受診もしづらいですよね。アルコール依存症が、『人生から落第した人』のようなイメージから、もっと健康問題や生活習慣の問題であるというふうに見方が変わっていくといいと思います。もう少し、食生活や運動習慣を改善することと同じレベルで話題にできるような雰囲気が生まれるといいですね」

減酒外来を開設している医療機関は、久里浜医療センター以外には、まだ数えるほどしかありません。これほど飲酒が文化に浸透している以上、最も身近な依存症であることは間違いないのですが、重症化する前に相談できる窓口はほとんど知られていないのが実状です。

「気軽に相談できる支援体制ができるといいと、実際に久里浜に来られる方も皆さんおっしゃられますね。お酒のことは、どうしても恥ずかしくてなかなか言えないし、医療機関に行くと『お酒をやめろ』と言われると思っていたから、『減らすでもよい』というメッセージを掲げてくれると通院しやすいと言われます。断酒会の方々も、アルコール問題を抱えていらっしゃる地域の方をいかにしてピックアップしていくかということについては、すごく意識しているところだと思います。その点で、症状の軽い人たちを呼び込むには、減酒でもよいというメッセージは効果的です。

もう一つのメッセージとして『ハーム・リダクション』の考え方があります。アルコール依存度が高い方が、まずお酒の量や影響を減らすという段階を踏んでから、断酒に進んでいくということです。

従来、アルコール依存症の治療を始めるには、『底つき』体験が必要だと言われており、依存症者本人が『どうしても飲んでいるわけにはいかなくなった』と感じ、断酒の意志を持って初めて治療につながるというプロセスを踏んでいました。つまり、本人が断酒を決意しなければ、治療は始まらなかったわけです。しかし、そこに至るまでに不幸な結果になる方もいらっしゃるので、断酒の前に減酒という段階を踏むことによって、早くから患者さんにアプローチすることが可能です。やめる、やめないにこだわるよりも、とりあえず治療につながってもらうことのほうを重要視していて、『今のあなたの問題を軽くするには、どうすればいいのか』という話をしていくのには、よいやり方だと思います。

フォーカスするポイントはいくつかあって、例えば減酒でもいいし、体のケアやソーシャルワーク的な支援の方向もあります。住居の問題、お金の問題、家族の問題、その他いろいろな、その人がお酒を飲まざるを得ない状況にさせている問題に目を向けてあげるためには、何らかの社会資源につながっていないと難しい。それを実現させるために、お酒を減らすというワンクッションを置くことで、さまざまな支援の選択肢が可能になります」

筆者は、勤務先でかなり前から高齢者のアルコール問題に取り組んでいますが、高齢期の方々にいきなり断酒を勧めると、ハードルが高すぎて実行できる人がほとんどいません。お酒をやめるというところから始めるのではなくて、まずは環境を調整して、その人が人間らしい生活を送れるよう、QOLを高めることで、結果的にお酒が減っていくということがあります。例えば、車椅子だった人が、お酒の量を減らすと、杖で歩けるようになったり、ADLが改善していくということが実際にありました。

高齢者のアルコール問題において、ケアマネージャーなどの関係者は、まずお酒をやめさせることを最初の目標にしてしまいがちですが、それを一旦置いておいて、まず、この人のQOLを上げるにはどうすればいいかというアプローチに変えると、結構うまくいくケースがあったので、高齢者の方への減酒指導にも一定の効果があるのではないかと考えています。つまり、関係者が「酒をやめさせることをやめる」のを最初の治療目標にするという発想の転換が必要です。

「当院の減酒外来には、高齢者の方はあまりいらっしゃいませんね。60~70代の方は、少数派です。現役の働き盛りの方が、問題が大きくなる前に来院するというケースがほとんどです。

減酒外来を始める医療機関は増えてきていて、私の知る限りだと、北茨城市民病院附属家庭医療センターで、プライマリ・ケア（幅広い総合的・全人的な医療）の先生が始めています。精神科よりもプライマリ・ケアのほうがより患者さんと全方向的に関わりやすいということもあり、ほかにも減酒外来を始めたいという医療機関があると聞いています。

都内では、今までアルコール外来をやってきた医療機関で減酒外来を始めたということは、あまり表立って聞いてはいませんが、比較的軽症の方が多く来られるクリニックの単位では、診察に来た患者さんに減酒を勧められる先生は多いようです」

従来のアルコール問題＝断酒の考え方からすると、減酒外来はなかなか浸透しづらいのではないかと思いましたが、そうでもないようです。

「実際に、病院の方針が揺らいでしまうとおっしゃる医療機関もあります。ですが、当院では別々の診療科の扱いにしており、減酒の患者さんと断酒の患者さんが交わることはまずないので、両立は可能だと思っています。

減酒外来で、ハーム・リダクションとして付き合っていく中で、『やっぱり減らせないから断酒をしたい』とおっしゃる方も1割くらいいますので、そのときは入院治療で、3カ月の期間をかけて断酒をする場所を提供します」

減酒外来に来た時点では、お酒をやめたくない気持ちとやめたい気持ちが同居しているのが正直なところでしょう。できれば節酒したいのが本音という方が多い中で、患者さん本人がどうしたいのかを聞いて、本人に決めてもらって進めたほうが対立は少ないですし、それが一番自然な形ではないかと思います。従来は、もう引き返せないほど症状の進んだ段階で、「飲んで死ぬか、やめて生きるか、どちらかを選びなさい」という二者択一の対応がありましたが、やっと患者さんが自分で選ぶ形になってきたのではないでしょうか。

新しいアルコール治療の形

薬物依存については世界的に見てもハーム・リダクションの考え方が主流になりつつ

つありますが、アルコール問題では、まだまだそのような認知は広がっていないように思います。「ほとんど何の問題もなく当たり前にお酒を飲む人（適正飲酒群）」と、ごく一部の「お酒で転落してしまった人（問題飲酒群）」といったイメージの分断があり、その溝は深いままです。

湯本医師は、アルコール問題の治療は今後どのように変わっていくと考えているのでしょうか。

「ほかの依存症治療と同様に、多角的なアプローチになっていくと思います。ドラッグとギャンブルに関しては内服治療がないので、自助グループなどの集団の力や認知行動療法といった心理社会的治療がメインになるでしょうか。

一方、アルコールに関しては、それにプラスして投薬治療が可能ですので、これらを併せた形でハーム・リダクションを進めていくことになると思います。薬を使える点でほかの分野とは少し違い、医師がコントロールできる部分が大きいですね。

問題の軽い方も外来にかかれるようになって、それに対応していく医療機関や医師が今後は増えていくのではないでしょうか。問題が大きくならないうちに、早期に介入することの重要性は、ドラッグやギャンブルなど、その他の依存症治療と共通だと思います」

私が15年くらい前に久里浜医療センターを訪れたときは、「底つき」理論が常識だと思っていましたし、臨床現場ではそれが実践されていました。やる気のある人は回復していって、ない人は死んでいくということが日常であり、それは医療者側の問題ではなく、当事者の問題だというふうに、カンファレンスなどでも言われていました。しかし、その原則は変わりつつあるようです。患者当人の社会機能が保たれているうちに飲酒問題に対処し、重症化を食い止めることは、社会的な経済効果もあるのではないでしょうか。

おそらく依存症治療の常識は今後も変わっていくでしょう。

今取り組まれている「リラプス・プリベンション[※6]（再発防止）モデル」や「動機づけ面接」の手法も、もしかしたら次の10年の間に、「昔はあんなことをやっていたけど、今は違うよね」と言われるときが来るかもしれません。その一方で、アルコール依存症は「生き方の病」でもあるので、その人の生きづらさが解消されていく、人とのつながりを足掛かりにして回復していくという点は、普遍的に変わらないような気がします。

【注】

※1　動機づけ面接

アメリカの行動療法の専門家・ミラー（Miller, W.R.）とイギリスの心理学者・ロルニック（Rollnick, S.）によって開発され、現在では世界標準となっているカウンセリング技法のひとつ。アルコール依存症の治療効果研究の過程で生まれた。相談者の言うことを否定せず、その人自身が本来持っている変化への動機と実行力を強めていく方法。

※2　久里浜方式

1963年に日本で初めてアルコール依存症専門病棟を設立した、独立行政法人国立病院機構久里浜医療センターによるアルコール依存症の入院治療モデル。精神科医・なだいなだによって創始された。入院期間を3カ月に設定し、集団精神療法をはじめとするさまざまなミーティングを行う。開放病棟・任意入院や患者自治会による病棟運営が特徴。患者の自主性を尊重した治療として、全国各地の医療機関にも広がっている。

※3　マトリックス・モデル

アメリカ・ロサンゼルスのマトリックス依存症研究所が1980年代に開発した依存症外来の治療プログラム。コカインや覚せい剤といった中枢刺激薬の依存症を対象として開発された。認知行動療法的志向性を持つワークブックを用いて、グループワークを重視したアプローチを取る。豊富な有効性に関する科学的根拠を有し、世界各国で実施されている。次項のSMARPPの元になっている。

※4　SMARPP

「Serigaya Methamphetamine Relapse Prevention Program（せりがや覚せい剤依存再発防止プログラム）」の略称。2006年に国立精神・神経センター精神保健研究所薬物依存研究部の松本俊彦らが開発した。10人ほどの患者のグループで、週1回90分のセッションを24回行う。薬物に関する知識や再乱用を防ぐスキルなどが記されたワークブックに、自分の実体験や使いたいときの対処法などを書き込み、医師らと正直に話し合うことで、依存からの脱却を目指す。

※5　リカバリー・ダイナミクス・プログラム
アメリカ・アーカンソー州の依存症回復施設「セレニティパーク」の創始者であるジョー・マキュー（McQ, J）によって作られた依存症治療プログラム。アルコール依存症者の相互支援グループ「アルコホーリクス・アノニマス（AA）」で使われている同名のテキストに記されている「12のステップ」を基礎として、依存症回復支援施設（中間施設、リハビリ施設、医療施設など）のために作られた。

※6　リラプス・プリベンションモデル
「再発防止」という意味で、アルコール・薬物依存症の治療モデルとして開発された認知行動療法の一技法。断酒・断薬の状態を継続させるため、再発につながった要因や、そこに至った過程を詳しく分析。自分がどんなときに「やりたい」という気持ちが出るのかを明らかにし、そのようなリスクを回避、対処するスキルを身に付けさせる。

湯本洋介《ゆもとようすけ》　プロフィール

1982年生まれ。精神科医。2014年より独立行政法人国立病院機構久里浜医療センター勤務。アルコールなどの依存症治療で名高い同センターで、プレアルコホリックのための診療科「減酒外来」の立ち上げに携わる。著書に『「飲み会の翌朝も元気な人」が実践しているかしこい飲酒法』がある。

資料①

AUDIT オーディット
（アルコール使用障害同定テスト）

❶ あなたはアルコール含有飲料をどのくらいの頻度で飲みますか？
⓪ 飲まない　① 1ヶ月に1度以下　② 1ヶ月に2~4度
③ 1週に2~3度　④ 1週に4度以上

❷ 飲酒するときには通常どのくらいの量を飲みますか？
→量の換算は左ページの表を参照してください（以後同じ）。
⓪ 0~2ドリンク　① 3~4ドリンク　② 5~6ドリンク
③ 7~9ドリンク　④ 10ドリンク以上

❸ 1度に6ドリンク以上飲酒することがどのくらいの頻度でありますか？
⓪ ない　① 1ヶ月に1度未満　② 1ヶ月に1度
③ 1週に1度　④ 毎日あるいはほとんど毎日

❹ 過去1年間に、飲み始めると止められなかったことが、どのくらいの頻度でありましたか？
⓪ ない　① 1ヶ月に1度未満　② 1ヶ月に1度
③ 1週に1度　④ 毎日あるいはほとんど毎日

❺ 過去1年間に、普通だと行えることを飲酒していたためにできなかったことが、どのくらいの頻度でありましたか？
⓪ ない　① 1ヶ月に1度未満　② 1ヶ月に1度
③ 1週に1度　④ 毎日あるいはほとんど毎日

❻ 過去1年間に、深酒の後体調を整えるために、朝迎え酒をせねばならなかったことが、どのくらいの頻度でありましたか？
⓪ ない　① 1ヶ月に1度未満　② 1ヶ月に1度
③ 1週に1度　④ 毎日あるいはほとんど毎日

❼ 過去1年間に、飲酒後罪悪感や自責の念にかられたことが、どのくらいの頻度でありましたか？
⓪ ない　① 1ヶ月に1度未満　② 1ヶ月に1度
③ 1週に1度　④ 毎日あるいはほとんど毎日

❽ 過去1年間に、飲酒のため前夜の出来事を思い出せなかったことが、どのくらいの頻度でありましたか？
⓪ ない　① 1ヶ月に1度未満　② 1ヶ月に1度
③ 1週に1度　④ 毎日あるいはほとんど毎日

❾ あなたの飲酒のために、あなた自身か他の誰かがけがをしたことがありますか？
⓪ ない　① あるが、過去1年にはなし　② 過去1年間にあり

❿ 肉親や親戚、友人、医師、あるいは他の健康管理にたずさわる人が、あなたの飲酒について心配したり、飲酒量を減らすように勧めたりしたことがありますか？
⓪ ない　① あるが、過去1年にはなし　② 過去1年間にあり

厚生労働省ホームページ
標準的な健診・保健指導プログラム(改訂版) 第3編その6　をもとに編集部が作成

酒類のドリンク換算表

種類	量	ドリンク数
❶ ビール(5%)・発泡酒	コップ(180mL) 1杯	0.7
	小ビンまたは 350mL 缶1本	1.4
	中ビンまたは 500mL 缶1本	2.0
	大ビンまたは 633mL 缶1本	2.5
	中ジョッキ(320mL) 1杯	1.3
	大ジョッキ(600mL) 1杯	2.4
❷ 日本酒(15%)	1合(180mL)	2.2
	お猪口(30mL) 1杯	0.4
❸ 焼酎・泡盛(20%)	ストレートで1合(180mL)	2.9
焼酎・泡盛(25%)	ストレートで1合(180mL)	3.6
焼酎・泡盛(30%)	ストレートで1合(180mL)	4.3
焼酎・泡盛(40%)	ストレートで1合(180mL)	5.8
❹ 酎ハイ(7%)	コップ1杯(180mL)	1.0
	350mL 缶酎ハイ1本	2.0
	500mL 缶酎ハイ	2.8
	中ジョッキ(320mL) 1杯	1.8
	大ジョッキ(600mL) 1杯	3.4
❺ カクテル類(5%)(果実味などを含んだ甘い酒)	コップ(180mL) 1杯	0.7
	350mL 缶1本	1.4
	500mL 缶1本	2.0
	中ジョッキ(320mL) 1杯	1.3
❻ ワイン(12%)	ワイングラス(120mL) 1杯	1.2
	ハーフボトル(375mL) 1本	3.6
	フルボトル(750mL) 1本	7.2
❼ ウイスキー、ブランデー、ジン、ウォッカ、ラムなど(40%)	シングル水割り1杯(原酒で30mL)	1.0
	ダブル水割り1杯(原酒で60mL)	2.0
	ショットグラス(30mL) 1杯	1.0
	ポケットビン(180mL) 1本	5.8
	ボトル半分(360mL)	11.5
❽ 梅酒(15%)	1合(180mL)	2.2
	お猪口(30mL)	0.4

「ドリンク」数の計算には次の式を用います。
純アルコール量(g)=飲んだ酒の量(ml)×酒の濃度(度数/100)×0.8
ドリンク数=純アルコール量(g)÷10

AUDITの判定方法

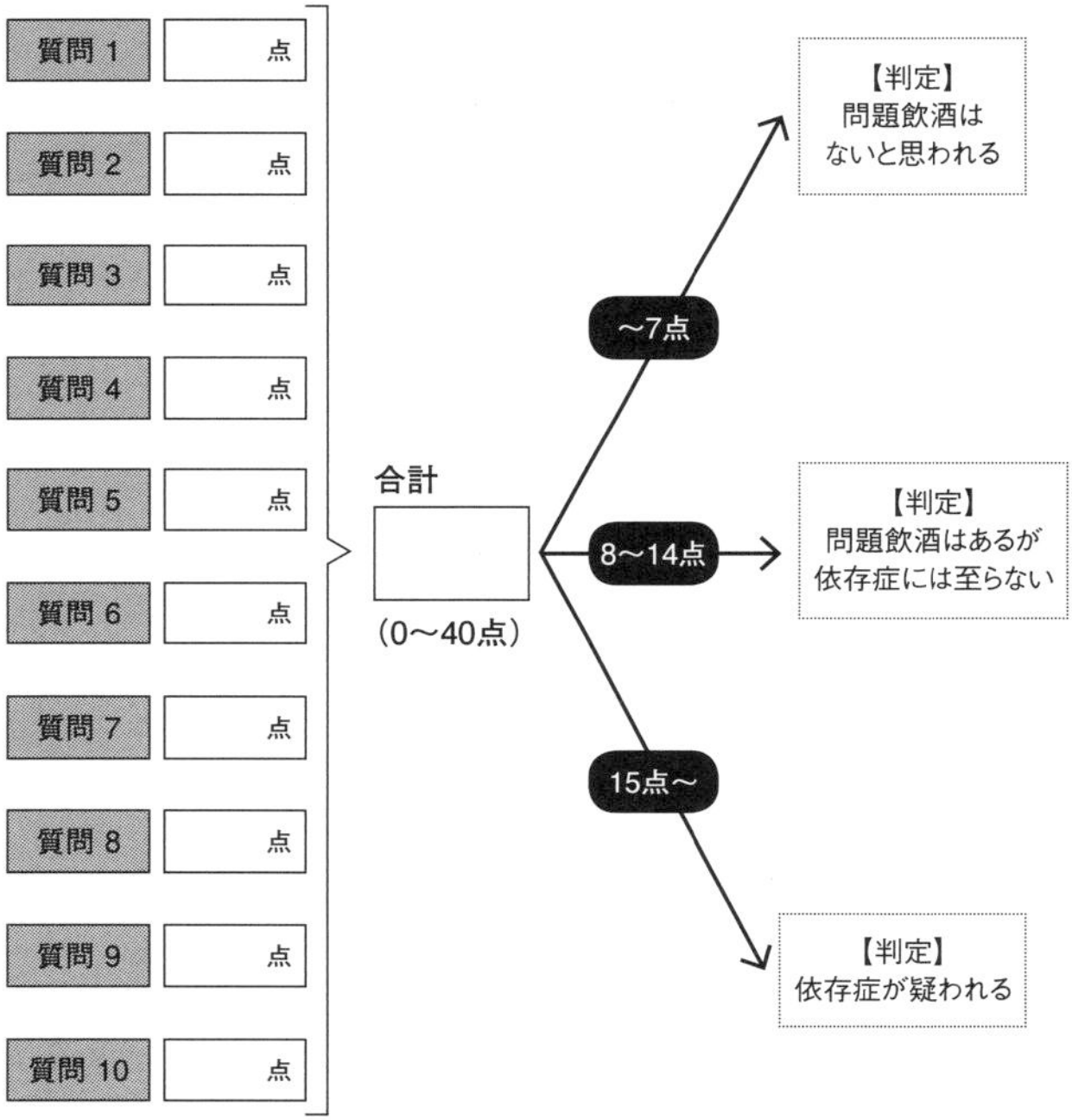

(※1)ここではアルコール依存症を疑う境界を14点と15点の間に置いていますが、
AUDITの点数はあくまでも判断材料の一つであり、アルコール依存症か否かに関しては医師が総合的に判断します。

(※2)AUDITの結果が15点以上の場合は、アルコール依存症の疑いが強いケースです。
専門的な治療が必要になりますので、アルコール依存症の専門医療機関を受診しましょう。

第4章

支援の手からこぼれやすい女性のアルコール問題

アルコール依存症患者というと、ほとんどの人が「男性」をイメージするのではないでしょうか。実際に、約9対1の割合で患者の大半は男性ですが、女性患者も近年増えており、厚生労働省の２０１３年の調査によると、女性のアルコール依存症の生涯経験者数は13万人に上ると推定されました。２００３年の調査結果である８万人から10年で約1.5倍に増えている計算になります。

女性のアルコール依存症患者が増える傾向にあるのは、どういったことが背景にあるのでしょうか。

独立行政法人国立病院機構久里浜医療センターでアルコール依存症の女性病棟を担当し、治療にあたっている岩原千絵医師に、女性のアルコール依存症治療の難しさ、女性がお酒を飲む上で特に注意すべき点などについて、お話を伺いました。

「アルコール依存症の女性入院患者の特徴は、比較的若い世代が多いことです。例に

年代別依存症入院患者

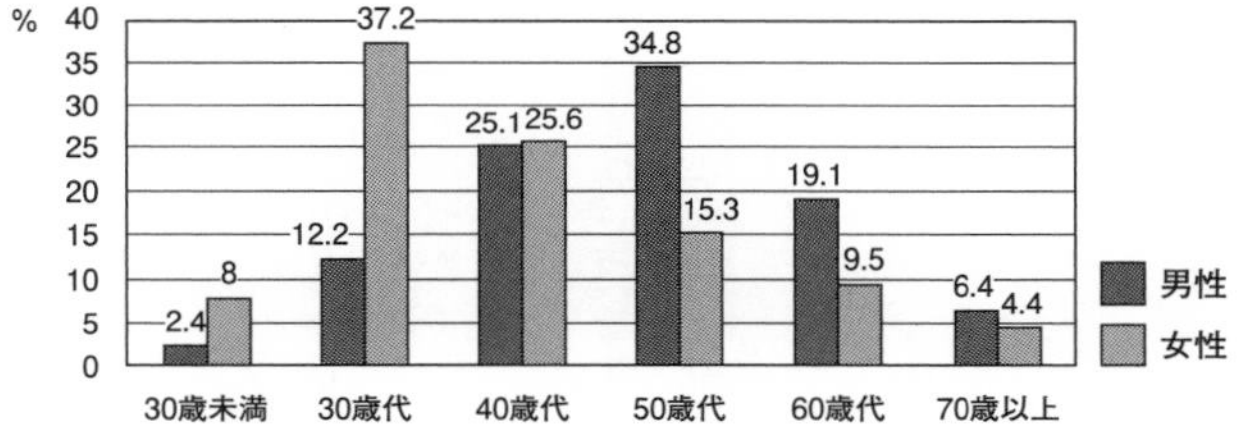

全国54の専門治療施設に入院している869名の依存症の調査結果。
女性は30歳代が最多、男性は50歳代が最多と男女で年代分布が大きく異なる。

平成16年度～平成18年度厚生労働省精神・神経疾患研究委託費「薬物依存症・アルコール依存症・中毒性精神病治療の開発・有効性評価・標準化に関する研究」（主任研究者:和田清）　総括研究報告書 2007　をもとに編集部が作成

挙げたものは2007年のデータになりますが、割合としては30代が一番多く、37・2%。次いで、40代が25・6%、50代が15・3%ですが、特筆すべきは20代でアルコール依存症で入院してくる人が8%いるという点です。男性の場合、20代の入院患者はほとんどいないので、これは目立った傾向ですね。男性では50代が34・8%、次いで40代が25・1%でピークであることを考えると、女性の場合はより若いうちにアルコール問題を発症してしまうことがわかります」

そもそもの身体機能として、女性のほうが男性よりもアルコール依存症になりやす

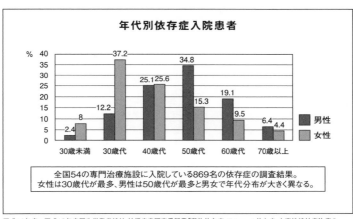

いと言われています。一般的に女性は男性よりも小柄で、肝臓が小さく体内の血液量も少ないのです。さらに水分を多く含む筋肉の量も少ないので体内でアルコールが薄まりにくい、またアルコールの分解速度も遅い、といった違いがあるからです。

かつては、「キッチンドリンカー」という言葉がアルコール依存症の女性を象徴するものとして使用されていました。主に家庭内で家事をしながら飲酒する女性のことです。しかし、女性のアルコール依存症者＝キッチンドリンカー、という構図は、個人的にはいささか時代遅れな感じを受けます。筆者の勤務するクリニックの外来にも、最近はそういったタイプの患者さんはあまり来なくなりました。

原因としては、共働きが増えたということもあると思いますが、女性の社会進出に伴い、女性依存症者のタイプも変わってきているのではないでしょうか。

「当院でもキッチンドリンカータイプの女性患者は、ゼロではありませんが少ないです。『キッチンドリンカー』とは、台所で家事をしながら隠れて酒を飲む、つまりは専業主婦を背景に生まれた言葉ですよね。女性の社会進出が進んで専業主婦が少なくなれば、当然、〝台所で飲む専業主婦〟というのは減ります。

その代わり、外で飲んだり、普通に自宅でお酒を楽しむケースが増えてきます。かつての日本では『女が飲むなんて』という世間の目があり、女性がお酒を飲むこと自体があまりよいこととされていませんでしたが、今やそんなことを言ったらセクハラです。

１９５４年から２００３年にかけての、男女別の飲酒率の推移を考察したデータがあるのですが、男性はもともと7割が飲んでいました。それが女性の場合、１９５４年には約1割、つまり10人に１人しか飲んでいなかったのです。これが２００３年になると、女性の6割以上がお酒を飲むようになっています。

お酒を飲む女性が増えたのは、女性の社会進出もあるでしょうし、『女が飲むなんて』という偏見が薄れてきているといったことなどが、複合的に女性の飲酒率を押し上げているのではないかと推測されます。

最近、お酒のＣＭにも、若い女優さんなどが起用されることが多いですよね。『女らしさ』などの女性に対する偏見がなくなり、女性が自由にお酒を飲みやすくなった、というのは確実な変化ではないでしょうか。

また近年は、男性も女性もストロング系のチューハイを好む傾向があります。昔は、

『男は黙ってサッポロビール』のようなイメージがありましたが、今はビールや日本酒よりも、全体的に缶チューハイが主流になっていて、選ぶお酒の種類にそれほど男女差が感じられなくなってきていると思います。

アルコール度数9％のストロング系が好きな人は、本当に多いですね……。スーパーなどでは、３５０㎖缶が98円くらいで買えてしまいますので、コスパがいいのでしょうね。ストロング系チューハイの危険性についてはもう少し警鐘を鳴らしたほうがいいと実感しています」

筆者も、患者さんの自宅を訪問した際に、すごい量のストロング系チューハイの空き缶が部屋に転がっているのを目にする機会が多いです。昼間からコンビニ前で飲んでいるサラリーマンを見かけることもあります。

「個人的には、数多くあるストロング系チューハイの中でも、とりわけ『ストロングゼロ』が好まれている点に注目しています。『ゼロ』とは何がゼロかというと、プリン体や糖類がゼロという意味なんですね。

ストロング系チューハイを好む人たちが矛盾しているなと思うのは、お酒はたらふく飲むのに、尿酸値などの数字にはすごくこだわることです。『糖類ゼロ』や『プリン体ゼロ』のものを飲めば、尿酸値は上がらないはずだと思い込んでしまっているんですね。実際には、お酒自体が代謝を変えてしまうので、お酒を飲めば尿酸値は上がります。

女性はもともと健康への意識が男性よりも高いので、缶チューハイなどの『なんとなく体によさそう』な記述に惹かれる傾向はあるのではないでしょうか。お酒に変にヘルシーな印象を与えてしまうと、そこでさらに飲酒へのハードルが下がってしまう。長年にわたって議論されていることではありますが、お酒を飲むことは健康にプラスに作用するよりも、はるかにマイナスの効果のほうが大きいのは確かです」

治療につながりにくい女性たち

この50年で、女性にとって確実に身近になったアルコールですが、どのように依存が形成されていくのでしょうか。

「女性の発症要因を挙げてみますと、まず第一に、体質的にお酒に弱いということですね。女性は、男性ではあまり問題にならない飲酒量でも肝障害を起こしやすく、男性より11歳早く肝硬変に至るというデータがあります。

アルコールの適正量は、男性が一日20gですが、女性は10〜13gです。生活習慣病のリスクを高めると言われているアルコール量は男性で一日40g、女性は半分の20gです。

第二の要因としては家庭内問題。パートナーの多量飲酒傾向やDVなどがそれに該当します。またその人自身に虐待の既往があるといったことが要因になる場合もあります。

あとは、社会的役割の喪失ですね。例えば介護をしていたお父さん、お母さんが亡くなる、または子どもたちが巣立って夫と二人だけの生活になる、夫が亡くなるといったことが、普通の酒飲みから大酒飲みに変わるきっかけと言われています」

男性のアルコール依存症の場合、妻や家族が受診を勧めて治療につながるケースが多いですが、女性の場合、受診に至る経緯はどのようなものなのでしょうか。

「受診のきっかけ自体は、男女であまり違いはないと思います。肝臓が悪くなって内科の病院を受診したけれど、お医者さんから『酒をやめろ』と言われてもやめられない、お酒の飲みすぎで何度も救急車で病院に運ばれる……そういった形で、全身を診てくれるような先生のほうから、『専門病院に行け』と紹介されてくる方。お酒に酔って家事ができないとか、転んでばかりでケガが多いといったことを家族が心配して、連れて来られたりすることもあります。

ただ……子育てや介護中の女性は、問題があってもなかなか病院に来ることができません。ですから、実際の依存症やアルコール問題を患っていらっしゃる当事者と、病院に自力で来られる方との間には、大きなギャップがあります。

ご家族が気づくのが遅くなったりするケースや、気づいていても、外聞が悪いからといって病院に連れて来なかったり、ご家族自体が、女性が依存症になるなんて恥ずかしいと思っていたりすることもあり、男性よりも女性のほうが、問題があるからといって、すぐに治療につながることができない傾向はありますね。

育児中のお母さんの場合、子どもを保護した児童相談所から『久里浜に治療に行かないと、子どもを返さない』と言われて、それをきっかけに治療につながったケースも多いです。

最近では、児童相談所は親の問題への介入には積極的です。児童相談所が子どもを保護してくれなければ、このままお酒を飲んでいただろうな、と思われるお母さんは割と多いですね。母親が依存症のケースだと、少し強めに介入していただけたりすると、お母さんのほうも諦めがつくといいますか……子どもを施設などに預かってもらって初めて、ようやく自分の治療に向き合うことができるようになるんです。

介護中の方の場合も、最近はケアマネージャーさんが状況をわかってくださって、一時的にお年寄りの預け先を探して、その間、介護者の方がしっかりプログラムを受けて治療できるように協力していただくこともあります。女性の場合は、行政の介入をきっかけに、本人が治療を受けられる環境になるという事例がとても多いですね」

サポートしてくれる家族がいない

一般的に、男性は一家の稼ぎ手であることが多いため、アルコール依存症になった場合は、妻や両親が必死になって治療させようと努力します。一方で、主婦であったり母親であったりする女性が依存症になっても、家族は当人の問題だろうととらえて、真剣に手を差し伸べない傾向があるようです。そこには、ケアをする役割を担う女性への、家族からの「無関心」の問題があります。

運よく治療につながることができたとして、アルコール依存症の女性の場合、夫やパートナーからどのようなサポートを受けることができるでしょうか。

「もちろん人にもよりますが、仕事が忙しくて、なかなかそういったことには手が回らないという方が結構多いですね。

先ほどお話しした発症要因の中にも、夫の多量飲酒傾向がありましたが、男性患者さんのご家族は一緒に断酒してくれたりするのですが、女性患者さんのご家族の場合は、平気で当人の目の前で飲んでしまいます。ですから、夫婦関係が回復の妨げになるケースもあります。女性が回復していくことの難しさに、パートナーの無関心ということが一つ大きな要因としてあるような気がします。

女性の場合、とにかく家族からのサポートが得られないという傾向が強いです。当院でも、ご家族向けに依存症について学ぶ家族教室を開いているのですが、女性患者さんの家族は来てくれないことが多いですね。いざ入院することになっても、『だったら誰が舅（姑）の面倒を見るんだ』という話になってしまったり……。

こういう環境であれば、本当に積極的に、公的機関や制度といった社会資源を取り入れていく必要があります。そうしなければ、彼女たちをサポートしてくれる人がいないのです」

女性だけのクローズドミーティング

女性の患者さんは、入院後どのような治療を受けるのでしょうか。

「当院では、男女で異なる治療プログラムを組んでいます。男性は最初に内科病棟に入って2～4週間治療を行い、その後、精神科病棟に移ります。精神科病棟では2カ月治療を行いますので、入院期間が合計で3カ月になります。女性の場合、最初から最後まで女性アルコール病棟で治療し、期間は9週間になります。

当院の女性アルコール・リハビリテーションプログラムでは、水曜日の午後、院内で女性クローズドグループというプログラムを行っています。女性だけで集まってミーティングを開いて、基本的にはお酒について話をすることになっていますが、先ほど特に女性に多い発症要因として挙げたDVや虐待についての話をすることもあります。女性限定のプログラムを提供することで、男性への依存を防ぎ、女性特有の問題について語りやすい場を用意しています。

男女の病棟を分けているのは、女性が男性と同じ病棟にいると、恋愛関係が発生する可能性があるからです。

アルコール依存症の自助グループである『AA』では、回復への段階を『12ステップ』（本書176ページ資料③参照）と呼んでいるのですが、アルコール依存症の男女が付き合うことを、そこから取って『13ステップ（死のステップ）』と揶揄することがあります。要するに、12のステップの過程で恋愛関係になってしまうことを『13ステップ』と呼んでいるのです。絞首台に続く13階段になぞらえているわけですね。

二人で一緒に断酒してくれればいいのですが……依存症者同士が付き合って、結果的に二人で飲んでしまい、お互いの回復を妨げてしまうケースをたくさん見てきました。これも、男性の依存症者に対して女性は圧倒的少数なので、女性ならではの心配な点と言えるかもしれません」

回復していく過程で、男性の場合はＡＡや断酒会など、自助グループの存在が重要となります。女性も基本的にその点は一緒なのでしょうか。

「女性にも自助グループはお勧めしています。男性と一緒のグループはちょっと抵抗があるという方がいたりすると、女性のクローズドミーティングを紹介したり。ただ、やはり自助グループは男性がメインのところがほとんどで、女性だけのグループもあることにはありますが、圧倒的に数は少ないですね……。

そのため、退院後に再飲酒してしまう方も少なくありません。地方ではグループまでの距離が遠く、通うことが難しい場所にあったりしますし、先ほどお話ししたような、家族の協力が得られない環境では、なかなか通うことができない方が多いですね。東京や神奈川など都市圏の場合には、比較的近くにグループがいくつもあったりして、治療環境としてはとても恵まれていると思います」

女性の抱える心の問題とアルコール依存

女性のアルコール依存症に男性と異なる対応が必要とされる背景には、女性特有のメンタル面の症状を併発している方がとても多いことがあります。血縁者にアルコール依存症者がいた、アルコールの代謝能力（お酒に強い／弱い）など、アルコール依存症の発症には遺伝的要因が5割ほど関わっているとされていますが、女性の場合は発症と遺伝的要因の関わりがそれほどなく、心理的・環境的要因に大きく影響されると言われています。

「女性の場合、精神科の合併症、これは慣例的に重複障害と呼びますが、それを持っている方がとても多いのです。女性に特に多いと言われている精神科の合併症には、境界性パーソナリティ障害、いわゆる『ボーダーライン』といったものがあります。薬物乱用・依存もあります。これは覚醒剤やMDMAといったような違法薬物ではなくて、精神安定剤や鎮痛剤、下剤といった処方薬への依存です。それから、気分障害、うつ傾向も見られます。

中でも特に多いのが、摂食障害です。アルコール依存症の方には、もともとある一定の割合で摂食障害が認められるのですが、特に20代の患者に限ってみると、7割程度が摂食障害を合併しているという調査結果もあります。そういった合併症の治療と並行しながら、アルコール依存症の治療を進めていくという点が、男性の治療とは大きく異なるところです。

ただ、入院期間は9週間ととても短いので、その間に何もかもはできないですよね……あくまでそういった合併症があっても、この9週間はアルコール依存症の治療に専念することになります。お酒を抜くことで合併症もよくなることがあるので、まずはアルコール問題から対処していく、ということは強調させていただいています。

当院の場合、患者さんは全国から来られるので、地元にかかりつけのメンタルクリニックがある方が多いです。退院後は引き続き、地元のクリニックに通われて、治療を継続していくという流れが一般的です」

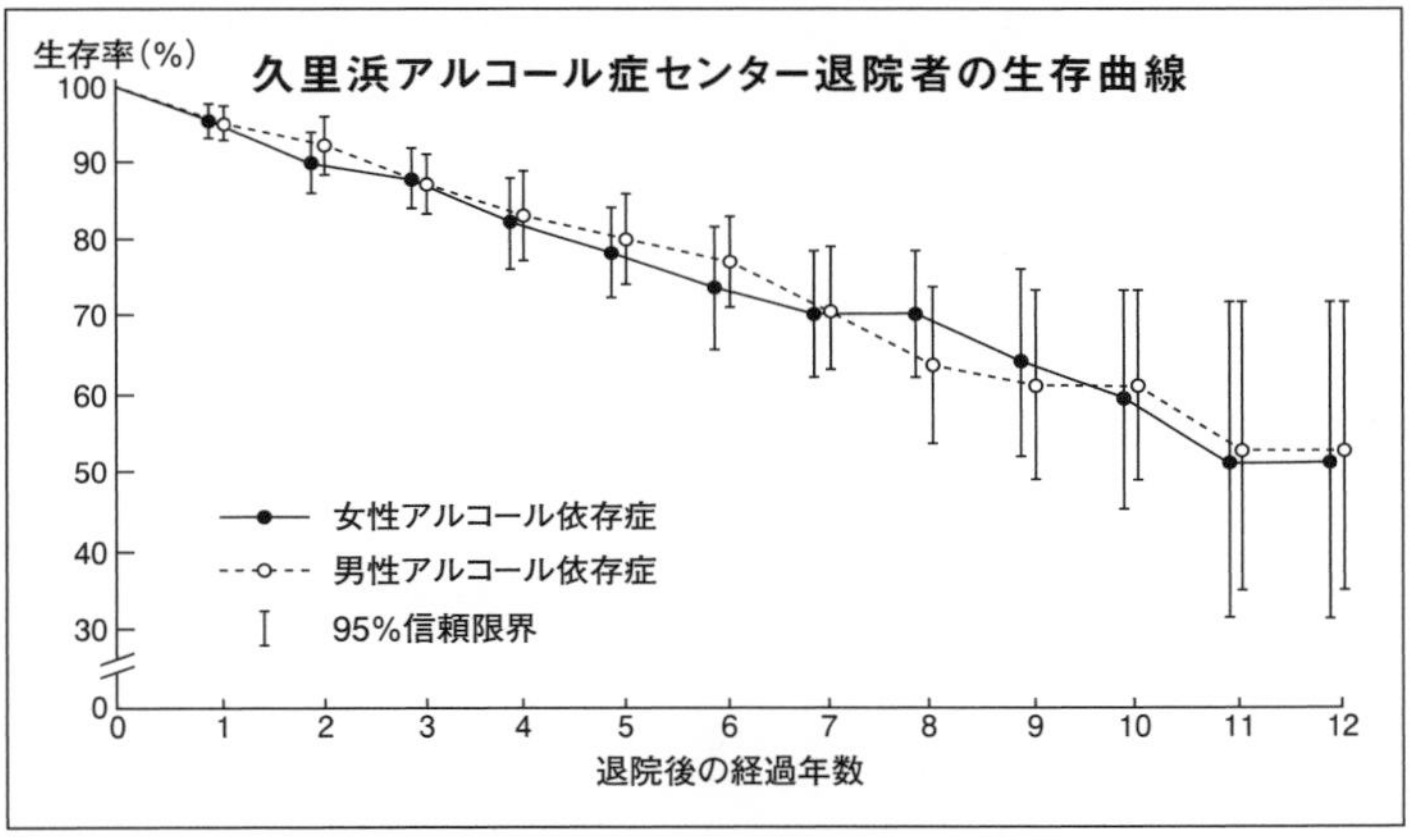

厚生労働省ホームページ　樋口進:アルコールと薬物依存,1987　をもとに編集部が作成

実際に久里浜医療センターでの治療につながった女性の患者さんは、20代、30代の割と若い方が多いとのことでしたが、その方たちの予後はどのようになっているのでしょうか。

「かなり古い調査になりますが、久里浜医療センターを退院した男女各291名を12年後まで追跡した生存率のデータがあります。年数の経過とともに生存率は下がっていき、退院後10年で約4割の方が亡くなられています。データだけ見ると男女ともあまり差がありませんが、女性のほうが男性より平均寿命が長いことを考えると、男性と同じ割合で亡くなっているというのは相当にシビアな数字です。男性よりも女性のほうが予後はよくないと言えますね。

当時と比較すると、依存症治療も進歩していますので、この数字をそのまま現在の状況に当てはめることはできませんが、依然として、女性の健康を考える上でかなり深刻な問題であるというのは変わっていないのかな、というのが実感です」

妊娠中の女性のアルコール問題

久里浜医療センターは、国立病院として国内初のアルコール依存症専門病棟を設けるなど、日本のアルコール依存症治療を牽引してきた医療機関です。近年では、全国から年間100名以上の女性新患が訪れているといいます。男性と比べて圧倒的少数派である女性のアルコール依存症者をこれほど多く診療する環境もなかなかないと言えるでしょう。

そんな岩原医師にとって、最も印象に残っている事例はどのようなものなのでしょうか。

「よっぽど酒好きな人でも、さすがに妊娠中は普通飲みませんよね……。でも、お酒がやめられないという臨月の方が入院してこられたんです。妊娠前から飲んでいて、妊娠してもお酒をやめられず、臨月を迎えたと。なぜ入院することになったかというと、妊婦健診でお腹の中の赤ちゃんが育っていないことがわかり、『今からでもいいから、とにかく入院しなさい』と産婦人科の医師から言われたからです。そういう女性のケースは、ほかの医療機関では本当に少ないと思いますが、こちらでは何例も見てきました。

女性のアルコール問題を語るときに重要なのは、ご本人以上に、お子さんの生涯にわたる後遺症があるということです。

女性特有のアルコールの弊害として、胎児性アルコール症候群（ＦＡＳ：Fetal Alcohol Syndrome）もしくは胎児性アルコール・スペクトラム障害（ＦＡＳＤ：Fetal Alcohol Spectrum Disorders）があります。妊娠中に母親がお酒を飲むことで、流産や死産のほか、低体重や顔面の奇形、知能や発達の問題やうつ病などの精神科的問題、将来の依存症のリスクなど、広い範囲で胎児に影響を及ぼすのです。

入院中のお母さんに面会に来られたお子さんを見ると、ＦＡＳには特徴的な顔つきがあるため、アルコールの影響を受けていることが外見でわかります。そのほかにも、落ち着きがなく、ほかの診療室に駆け込んでしまう、などの発達上の問題を持つお子さんもいます。

平均的なお子さんの知能指数は100前後ですが、FASのお子さんの場合、70程度です。IQ70~85は『境界領域知能』とされており、明らかな知的障害とは言えず、環境を選べば自立して社会生活ができると考えられますが、状況によっては支援が必要になります。

妊娠中の女性の飲酒率は、2013年の調査では4.3%に上るという結果が出ました。こうした妊娠中のアルコールの影響について、まだまだ知られていないのではないかと思います。

女性の場合、子どもにも影響が及ぶ問題だということを、当人だけではなく周りの方も意識して、妊娠中は時期にかかわらず一切お酒を飲まないように注意していただきたいですね」

自分で減らせなければ病院へ

自分は依存症ではないだろう、でも、やっぱり飲みすぎかもしれない、と思ったときに、どういった対処をするとよいのでしょうか。

「まずは、客観的に自分の飲酒量を確認することが基本です。女性の適正飲酒量は、一日に10～13gとお話ししましたが、純アルコール10～13gが実際のお酒ではどれくらいの量かというと、10gは普通のビールならロング缶の半分（250㎖）です。9%のストロング系チューハイだと350㎖缶の純アルコール量は25gですから、半分飲んだだけでもう飲みすぎなのです。皆さん、この適量を知らないから飲めるんですよ……。知っていたら恐ろしくて飲めなくなりますよ。

飲酒習慣スクリーニングテスト（AUDIT　本書126ページ資料①参照）で自分の飲み方をチェックしたり、当院のホームページから『飲酒日記』をダウンロードして記録するのもいい方法です。当院の樋口進院長が医療・保健現場で使われている方法をもとに、一人で減酒に取り組めるように作ったワークブック『お酒が減らせる練習帳』(メディカルトリビューン　２０１３)を使っていただいてもいいですね。ご自身で飲酒量をコントロールできる段階であれば、こういった方法でも十分効果が期待できます。

やめようと思ってもやめられない、という方は、とりあえずアルコール専門病院に相談してみましょう。保健所に問い合わせると、同じ市や近隣にあるアルコール専門病院の情報がわかりますし、依存症対策全国センター(ＮＣＡＳＡ)のホームページ(本書１５２ページ資料②参照)にも、全国の相談窓口や治療が受けられる機関を掲載しています。アルコール依存症は患者数も多いので、地方にもアルコール問題の専門家はいます。まずは、ご自身の不安を誰かに相談してみることが問題解決への第一歩になると思います」

「女性のアルコール問題が増えている」ということは、テレビや新聞、雑誌などで繰り返し報じられています。しかしながら、当事者である女性たちがどのように治療につながり、回復していくのか、ということは、男性と比べてあまり語られてきませんでした。

今回岩原医師からお話を伺って、女性のアルコール依存症は、パートナーとの関係、家族間の問題などが絡み合い、複雑化する傾向が明らかになりました。

女性の社会進出に伴い、求められる役割が多様化していること、一方で育児や介護といったケアワークが、依然として女性の負担を前提として成り立っていることなど、女性のアルコール問題は、そういった社会環境も含めて考える必要があると感じます。

岩原千絵《いわはらちえ》 プロフィール

精神科医。1998年信州大学卒。東京女子医科大学病院精神神経科、成増厚生病院精神科等を経て、2014年10月より独立行政法人国立病院機構久里浜医療センターに勤務。女性病棟を担当し、取材や講演を通じて女性のアルコール問題の啓発を促している。

資料②

自分が／家族が
お酒を飲みすぎている……

と思ったときは、下記に相談を!

行政機関

・精神保健福祉センター
「全国精神保健福祉センター一覧」で検索
https://www.mhlw.go.jp/kokoro/support/mhcenter.html

・保健所
「保健所管轄区域案内」で検索
https://www.mhlw.go.jp/stf/seisakunitsuite/bunya/kenkou_iryou/kenkou/hokenjo/

医療機関

・「依存症対策全国センター」で検索
https://www.ncasa-japan.jp

・「アルコール依存症治療ナビ」で検索
http://alcoholic-navi.jp

支援団体

・特定非営利活動法人
ASK(アルコール薬物問題全国市民協会)
https://www.ask.or.jp

自助グループ

・公益社団法人　全日本断酒連盟
https://www.dansyu-renmei.or.jp

・AA 日本ゼネラルサービス
https://aajapan.org

(2020年2月現在)

第5章

NO ALCOHOL, NO LIFE! にならないために

経験者が語る「アルコール依存症と回復」

前章まで、アルコール関連問題を取り巻くさまざまな状況について見てきました。私の飲み方大丈夫かしら、ちょっと飲みすぎているかもしれない、との心当たりがある方は、お酒を控えるいいタイミングではないでしょうか。お酒を減らしていくためには、減酒外来をはじめとして、現在はさまざまな方法があり、相談窓口もあります。ぜひ今日から、ご自身のできることから始めてみましょう。少しずつ飲酒習慣の改善に取り組み、それが実践できたとしたら、あなたの飲むお酒はこれまで以上においしく、楽しいものになることでしょう。

アルコール依存症になったら、専門病院で治療すればいいいや、とりあえず今日は飲もう、という方もいるでしょう。アルコール依存症とは「否認の病」と言われる通り、当事者ほど、自分の飲酒問題を楽観視しているものなのです。むしろ、心のどこかではまずいと自覚しつつ、目の前の1杯の酒を飲むために、あらゆることを正当化していく、それこそが危険水域に近づいている証左でもあります。

第3章でも繰り返し述べたことではありますが、アルコール依存症の治療は「断酒」が基本です。筆者もこれまで数多くのアルコール依存症の方と接してきましたが、回復している方は、断酒を継続しています。ほどほどに飲んで問題なく過ごしている方は、私が知る限りではいません。

アルコール依存症と診断された人は、どのように回復していくのでしょうか。お酒さえ飲まなければ問題なく生活ができるのではないか、と思われがちですが、その「お酒さえ飲まなければ」が、並大抵の努力では達成できません。そのためには、単なる生活習慣にとどまらない、「生き方の改革」を求められるようです。

かつて40代でアルコール依存症の診断を受け、榎本クリニックでの治療を経て、現在は自助グループ「ＡＡ」で10年間断酒を継続しているＫさんに、お酒なしで生きる現在の心境を語っていただきました。Ｋさんはインタビューした時期に、断酒10年のバースデーを迎えられました。その記念すべきインタビューです。

妻からの最後通牒《つうちょう》「治療しないなら離婚する」

Ｋさんは現在59歳。都内の外資系ホテルの客室整備の仕事をしています。Ｋさんがアルコール依存症の診断を受けたのは47歳のときでした。受診は自分から、ということでしたが、よく聞いてみると、受診に至るまでに、すでにさまざまなアルコール関連問題が起こっていたようです。

「何だかちょっと、僕の飲み方おかしいんじゃないかな、って思ったんです。自分でもう制御できてないな、って。もともと20代から、飲み出すと止まらないタイプ。大酒飲み特有の武勇伝っていうんですか（笑）、裸で六本木を走り回ったとか、そんな話には事欠かない。でも30代までは、周りから『あいつ、飲むとやばいよね』って言われるくらいで済んでいたんです。

40代に入ってからだんだん酒量が増えていったんですよね。毎晩、夕飯のときから飲み始めて、まずビールを大瓶で5本くらい飲むでしょ、それで、22時くらいから、今度は焼酎かウィスキー、日本酒なら一升瓶を飲む。だいたい1本飲み終わる頃には、2時とか3時になってる。そのまま寝られれば寝ますし、寝つけなければ倒れるまで飲む。こんな感じで3年くらい飲んでいたのかな。

最初にクリニックに行ったとき、医者には嘘だろう、って言われたんです。こんな量、毎晩飲んで3年も無事でいられるわけがないって。でも僕は、ありがたいことに体が異常にお酒に対して丈夫というか、耐性ができすぎたみたいですね」

これで体を壊さなかったことが信じられない量ですが、さすがに毎晩飲んでいると、当然翌朝起きられなくなり、昼夜逆転生活が始まりました。当時勤めていた会社では、飲みながら仕事をし、間違った決算書を作成してしまうなど、仕事にも影響が出始めました。

「自分から病院に行ったはいいものの、アルコール依存症だから、やっぱり飲むなって言われるわけです。でもね、やめろと言われてやめられるわけなくて。だから2年くらいは、それでも飲んでたんです。仕事は行けなくなって、辞めました。そこでとうとう妻が『治療しないなら離婚する』って言い出して、そこからクリニックのアルコール依存症のデイケアに通い始めました。最初は妻を恨みましたよ……酒を取り上げやがって、って。今はあのとき、正しい判断をしてくれてよかったって、感謝しています。

思い返してみれば、仕事先でも、周りから『病院行ったほうがいいんじゃない？』って言われてましたね。会社に行っても、昼過ぎまで全く使い物にならない。それで、夕方にはもう、酒のことしか考えられなくなって、飲んでましたから。周りからどう思われていたって、やっぱり身近にいる人間、家族とか親友とかが強制的に介入しないと、なかなか本気で治療しなきゃいけないとは思えないものなんですよね」

クリニックのデイケアに毎日通い、アルコール依存症者同士のミーティングに参加したKさん。そこで、自分の意外な側面に気づいたと言います。

「とにかく、楽しかったんです。自分はこんなに話すことが好きだったんだ、っていうくらい、しゃべるのが止まらないんです。同じ依存症者と話してみると、不思議と気取らなくていいような、素直になれる感じがあって。それで、『もう飲まなくていいんだ』って、ホッとした……。

酒飲みって、飲むのが楽しいんだろう、って思われているでしょうね。でも、僕たちアルコール依存症者って、もはや強迫的に『飲まなきゃいけない』と思って飲んでる。飲まないとつらすぎるし、でもこのまま飲み続けてたら死んじゃうって、そのジレンマでもがき苦しんで、それだから余計に飲まずにいられない。

考えてみたら、僕は孤独だったんですよね。誰かに自分の話を聞いてほしいのに、それを誰にも言えない自分がいた。酔っぱらっていれば、一人でパブなんか行って、俺の話聞いて聞いてって言えるから、飲んでるときの自分が本当の自分なんだって思ってました」

愛された記憶がない幼少期

学生時代に知り合った妻と28歳で結婚し、親友もいたというKさん。彼の孤独感はどこから生じていたのでしょうか。

「これは、アルコール依存症の人ならわかってくれるような気がするんですけど……心にいつもぽっかりと穴があいていて、酒を飲んだときだけ満たされるんですよ。実際には、何も解決していないし、翌朝になるとまた空っぽになっているんだけど。だからまた、埋めるために飲む。その繰り返しです。

僕の場合は、たぶん承認欲求なんです。自分はもっとできるんだ、認められるべきなんだ、って思っているのに、現実が全然そこに追いついてこない。

僕は新卒で食品メーカーに入社したんですが、そこは入社5年目にみんな主任になるんです。でも僕だけなれなかった。そのことが、めちゃくちゃつらかったんですよね。周りから僕だけ取り残されてるのが耐えられなくて、そこを35歳のときに辞めて、別の会社で営業職に就くんですが、それも全く自分には合ってなかった。『俺はもっとできるのに、なんであいつが……』って、ずっとそういう思いを抱えていました。

僕は大人になりきれてなかったんでしょうね。中身が子どものまま、理想の自分と現実の自分のズレを、修正できなかったんです」

Kさんがそのことに気づいたのは、クリニックで紹介された自助グループ「AA」に通うようになり、自分のスポンサー（助言者）と一対一で行う「人生の棚卸し」という作業を通してでした。幼少期から今に至るまで、どんなことが起こり、どのように感じていたのかを長い時間をかけて一つ一つ話し合っていきます。

「AAでは、自分より先に入会した〝先輩〟のメンバーと一緒に、自分の人生を一から振り返るっていう作業をします。僕の場合は32歳の人とペアになって、それをやりました。そこで僕は、自分が親に愛情を持って育ててもらえなかったんだっていうことに、初めて気づいたんですよね……。両親は僕に関心がなかったし、褒めてもらったりした記憶もない。愛情表現というのが、全然なかったんです。だからたぶん、認められたい、愛されたい、っていう気持ちが満たされないまま大人になってしまったんだと思う。

僕の父方の祖父もアルコール依存症だったし、父も母も、自分が親から愛情を受けて育っていないから、子どもにもそれを与えられなかったんだろうな。そういう意味では、親のことを悪く思ってはいないんです。あの人たちも、かわいそうだな、仕方がないな、と思えた。ＡＡのプログラムでは、『許す』ということがとても大事なんです。怒りは、スリップ（再発）につながるトリガー（きっかけ）になりうるので」

飲まなきゃ生きていけない

アルコールに限らず、依存症の治療の過程で、「スリップ」はつきものです。依存症とは再発を繰り返しながら回復していく病気です。一見順調に回復に向かっていたかに見えたＫさんも、デイケアに通い始めて４カ月がたった頃、スリップしてしまいます。治療が進み、だんだん焦る気持ちが生まれてきたことが原因でした。

「仕事もせず、昼間はデイケア、夜はＡＡに通う生活です。社会復帰に対するプレッシャーとかが、自分の中で高まってきて、周りに対してイライラしていました。『手っ取り早く、どうすればうまくいくのか教えてくれよ！』っていう気持ちでした。うまくいくっていうのは、解決方法を教えてほしいってこと。突き詰めれば、どうすれば酒なしで、この世の中をわたっていけるのか、ってこと」

アルコール依存症者や治療関係者から絶大な支持を受ける、漫画家・吾妻ひでおさんの『失踪日記2　アル中病棟』（イースト・プレス　2013）の中に、主人公の男性が「酒無しでこの辛い現実にどうやって耐えていくんだ？」と独白するシーンがあります。この台詞は、アルコール依存症者の心の叫びと言っても過言ではないでしょう。真面目に治療に向き合っていたKさんでさえ、「酒なしで生きていくことなんてできない」というのが本心だったのです。

「僕が飲んでた頃に、妻に言われて一番嫌だった言葉が『なんでそんなになるまで飲むの？』。なんでと訊かれるから、こっちもいろいろ理由を並べるんです。会社でこういうことがあった、あいつにこう言われた……とかって。でも『普通はそんなことで、そんなに飲まないよ』って返される。自分で言いながら、なんて説得力ないんだ、って、だんだん自分自身に腹が立ってきて。それでいつも最後は『しらふじゃやってらんないんだよ！』って捨て台詞吐いてました。

でも、やけくそで言った言葉だけど、これが真実だったんですね。僕は、酒の力を借りなければ、現実と向き合う勇気がなかった。飲まなきゃ生きていけないんだ、って、自分で白状してたんですよ」

スリップしたことをきっかけに、前述のＡＡでの「棚卸し」のステップに取り組み、そこから劇的に回復に向かっていったそうです。

「ＡＡ」と「断酒会」

Ｋさんが参加した自助グループ「ＡＡ」は、「Alcoholics Anonymous＝無名のアルコール依存症者たち」の略称で、１９３５年６月10日にアメリカのオハイオ州で生まれた、飲酒問題を解決するための自助グループです。参加者は回復のために12のステップ（本書１７６ページ資料③参照）を実行し、お酒を飲まない生き方を目指します。

本書内で既に何度か紹介しましたが、アルコール問題の主な自助グループとしては、ＡＡと断酒会があります。この二つは理念や活動方針などさまざまな違いがある

断酒会とAAの違い

	断酒会	AA
歴史	1953年、日本にて発足	1935年、アメリカ・オハイオ州アクロンにて発足
参加者	実名で参加　アルコール問題の当事者とその家族	匿名で参加 基本的には当事者のみ
組織運営	組織化　役員制	組織がない　役員なし
運営資金	会費制	参加費は無料　献金により賄う
活動	例会　基本は週1回 酒害体験の共有	ミーティング　基本は毎日 「12ステップ」の実践

編集部による作成

ため、興味を持たれたら実際に足を運んで、自分に合ったところを探してみることをお勧めします。

断酒会は、飲酒問題の当事者に限らず、家族も参加できる例会を行い、AAでは当事者によるクローズドミーティングが原則です（誰でも参加できるオープンミーティングもあります）。

断酒会もAAも日本全国にたくさんのグループを持ち、ミーティング会場によって雰囲気は異なりますが、どちらも「酒をやめたい」という意志を持つ人ならば誰でも歓迎してくれます。

「僕の場合は、中学の頃からカントリーバ

ンドをやっていて、ちょうどＡＡが創立された頃の中西部のアメリカの雰囲気っていうのが好きだったんですね。カントリーミュージックって、よく『酔っぱらいが神様の声を聞いて目覚める』みたいな歌詞が出てくるんですよ。だから、ＡＡでいきなり『神』とか『ハイヤーパワー』とか言われても、僕はあんまり拒否反応がなかった。宗教っぽいカラーに抵抗のある人は、断酒会のほうが向いているかもしれない。理屈じゃなく、合う、合わないってやっぱりありますから。

クリニックに通って1年くらいは、昼はデイケアに行って、夜はその日やっているＡＡのミーティングを探して、今日はここ、明日はあっち、って東京中をわたり歩いて、まるで厳しい部活みたいな感じでした。基本的には、最初は毎日どこかのミーティングに参加することを勧められます。夜7時から始まるところが多いんですけど、毎日って大変じゃないですか。でも酒を飲んでた頃は、毎晩その時間には必ず飲んでたんだから、やめるためにもそれくらいしなきゃダメだっていう考え方なんですよね。そこは意外と根性論なんですよ（笑）」

再飲酒への誘惑

ＡＡでのプログラムが順調に進み、Ｋさんは職業訓練校に通い、ホテルやレストランで派遣スタッフとして働き始めました。あるとき、ホテルの宴会でお酒の提供をする機会があったそうです。その時点で３年近く断酒していたＫさんですが、ふと「どんな匂いがするんだろう」と手元のグラスに鼻を近づけたとたん、それは襲ってきました。

「ふわぁ〜って、ものすごくいい匂いが……鼻から突き抜けるように、脳のどこかをはっきり刺激するんです。ああ、飲みたい、飲みたい飲みたい……って。『これはまずい』と、仕事中でしたけどすぐにその場を離れました。それ以来宴会の仕事は受けていません。結婚式とかで、大きな日本酒の樽を割ったりするじゃないですか、あのお酒を片付けたり、飲み残しを大量にバケツに捨てていったり、ホテルの宴会の仕事はお酒の近くにいなきゃいけないから危険でしたね」

再飲酒の誘惑を前に、自分でその場を離れる判断ができたKさん。断酒後3年ぐらいまでは、あらゆることが再発のきっかけになるため、お酒のある場所を避けるなど、気をつけて過ごさなければいけないそうです。

「再飲酒しちゃう人の理由で一番多いのが、キレちゃったとき。会社でうまくいかないことがあったとか、家族と口論になったとか。むしゃくしゃすること、怒りがたまるようなことがあると、危ないです。

長年しらふで過ごしていると、そういう危険な感じから自分で距離を置けるようになりました。今は、雲の上から自分を見ているような感じって言うのかなあ……『あ、今自分怒ってるな』とわかるから、その場を離れるとか、回避行動が取れる。お酒を見たら、おいしそうだな、飲みたいなとは思うんですよ。でも、飲まなくてもいいやって思えるんです。

飲みに誘われたり、楽しそうに飲んでる人を見たりすると、もう自分は一生飲めないんだ、って寂しくはなりましたよね。そうしているうちに、だんだん誘われなくなってくるし。
今では、必要ならお酒の場にも出ていくようにしています。その場にいても飲まずにいられる、っていうことが本当に酒をやめたってことですから」

見た目では「依存症」とわからないことの怖さ

断酒歴も10年になり、Kさんは今ではミーティングに毎日は行っていないものの、新しいメンバーのサポートや趣味のバンド活動など、AAで学んだことを社会に返していくことを目指して積極的に活動しています。先ゆく仲間として、お酒をやめるためのアドバイスはありますか、という質問に対して、Kさんは慎重に言葉を選びながら、アルコール依存症が「慢性疾患で進行性の病」であること、酒をやめ続けることでしか、回復は叶わないということを話してくれました。

「僕は、アルコール依存症の一番嫌なところって、見た目じゃわからないところだと思うんです。もちろん、飲んでる頃の、一日中酒が抜けずにふらふらしている状態のときは、誰が見たってわかりますよね。でも、飲んでいないときには、誰にも僕たちが病気だってことはわからない。下手したら、本人も忘れちゃう。もう俺は病気じゃない、って思えてしまうんです。

ＡＡでは、アルコール依存症は片足が使えない状態と同じだ、って話をします。片足が使えなければ、杖がないと歩いて行くことはできませんよね。でも依存症は見た目じゃわからないから、ちょっと酒をやめて回復したら、杖なしで歩いて行こうとして、すぐに転んで（再飲酒して）しまう。その杖にあたる存在が、ＡＡだったり断酒会だったりするんですけど。

僕は断酒して10年経ちましたが、これから先、一生酒を飲まなかったとしても、アルコール依存症者です。そのことを忘れちゃいけないと思っています。

この10年、たくさんのアルコール依存症の人を見てきました。例えば１００人新しいＡＡメンバーが来ても、１年後に残るのは３人くらいです。それくらい、ほとんどの人が続けられないですね。続けられたと思ってても、ふっと再飲酒して亡くなられたり。一番多いのが、飲んで転倒して頭を打って亡くなるケース。あとは自殺もありま す。昨日まで一緒に冗談言って笑ってたのに……っていうことが何度もありました。そのたびに、怖くて仕方ないです。自分もいつそうなるのか、って思う。最近は、『この人はお酒の問題抱えてそうだな』とかぱっと見でわかるようになってきました。だからこそ、なんか先輩風を吹かしてしまいそうになるのが自分でも嫌なんですよね……。そういう悩みを、断酒歴20年の人に相談したら、『10年目くらいって、そういう感じになるよね〜』って言われました。10年くらいで何言ってんだ、俺って（笑）。だからこれからもずっと、生きている限り回復の途上なんです。

アドバイスなんてことは偉そうにできないですが、断酒会でもAAでもいいから、『酒をやめようと思ってる』って、一度話をしに行ってみてください。必ず誰かがサポートしてくれます。僕がそうだったように」

今でも「もしかしてまた飲んでるかも」

Kさんは、インタビュー中何度も「僕は幸運だった」という感謝の言葉を口にしました。さまざまなケースを目にして、お酒をやめ続けることがいかに難しいことかを身に沁みてわかっているからこそ、自分が回復してこられたのは、周囲の理解やサポートを得られたおかげだと言います。

Ｋさんの妻は、Ｋさんがデイケアと ＡＡに通うため、１年間再就職を先延ばしにしたい、と相談したときにも、「そんなにいいプログラムがあるなら、ぜひ通ったほうがいい」と応援してくれたそうです。

治療につながり、一見普通の生活を送れるようになったからと、急いで仕事を再開したり、元のプレッシャーやストレスのある環境に身を置いてしまうと、依存症は再発するリスクが高まります。そのことを周囲が理解してくれることは、回復にとって不可欠な要素だと言えるでしょう。

「今でも妻は、僕が連絡できずに帰りが遅くなってしまったときとか、『もしかしてまた飲んでるかも』と不安になるそうです。もう10年断酒していても、そう思われてしまう。依存症者の家族って、みんなそうなんじゃないですかね。どん底だった頃を知っているから、いつになっても不安は消えないと思う。それくらい、家族を傷つけて、迷惑をかけてきたってことです。僕が酒をやめられたのも、一番には、家族を失いたくないっていう気持ちが大きかったからですね。失う前に気がついてやめられたことは、本当によかったと思います」

最後に、アルコール依存症になる前の自分に戻れたとしたら、何に気をつけて、どう生きたいですか、と質問しました。

「過去に戻ってやり直せたら……でもきっと、同じでしょうね。僕の人生の中で、アルコール依存症になったことは必然だったと思っています。どうしようもないけど、これが真実だから受け入れないといけない。なぜ自分が飲んでいるのかわからないまま、やみくもにやめようとしたってきっとやめられなかったでしょうし、何かしらほかのことで問題を抱えていたはずです。願わくば、もう少し若い頃に治療につながってＡＡにも参加できていたら、酒なしでそれなりに楽しく生きられる時間がその分長くなったのにな、とは思います。

さっき、『心にぽっかり穴があいてる』って言いましたけど、誰だって大なり小なり穴はあいているんですよね。それを、酒だけで埋めようとしなければいいだけで。その穴があるからこそ頑張れるってこともあると思うんです。仕事、趣味、友達、家族……いろんなもので少しずつ埋められるのが理想ですよね。

この病気になって、いろんなものを失いましたけど……正社員という社会的立場とか、お金もそうですね、家一軒分くらいは酒代に消えていきました。でも、得られたものも大きいんです。真実を受け入れる力、ありのままの自分でいいんだ、と思えるようになったこととか。

最近、アルコールで壊れていた部分が、戻ってきたなあと思うことがあります。良心というか、物事に感動する心。酒を飲んでいた頃の自分は、そんなものは全部なくなっていました。今は、育てていたミニトマトが実をつけた、とか、そんな些細なことが嬉しいと思える。

こないだ、たまたま何十年かぶりに『となりのトトロ』を観る機会があったんですけど、号泣してしまったんです。こんなに美しい心の葛藤がある映画だったのか……と。歳のせいもあるんでしょうけど、嬉しかったですね。自分にもまだ物事に感動する心が残っていたんだ、って。あと何年生きられるかはわからないですけど、自分の努力次第では、こうやって少しずつでも、嬉しいと思うことや感動できることに出会っていけるんだなと思っています」

Kさんは、アルコール依存症から回復し続けている当事者として、自分の経験を何らかの形で役立ててもらえたら、という気持ちから、今回のインタビューも快く引き受けてくださいました。物腰がやわらかく、にこやかに、ときにストイックにご自身のことを語る姿からは、飲んでいた頃のKさんを想像することはできません。お酒をやめるためのプログラムに取り組むことでそれだけの変化が起こるということですし、逆に言えば、それぐらいの変化を経なければお酒をやめることはできない、ということかもしれません。

アルコール依存症からの回復は、人生観、生き方が変わるほどの苦悩や困難さを伴うものだということがおわかりになったのではないかと思います。一方で、回復すれば自分らしく楽に生きることができるということも、Kさんの姿から学ぶことができます。

「酒のない人生なんて……」と思ってしまう人ほど、一生飲めなくなる前に、酒のない人生をそれなりに楽しく生きる方法を、真剣に考えてみてはいかがでしょうか。

資料③

AAの12のステップ

(1) われわれはアルコールに対して無力であり、生きていくことがどうにもならなくなったことを認めた。

(2) 自分自身より偉大な力が、われわれを正気に戻してくれると信じるようになった。

(3) われわれの意志と生命を、自分で理解している神、ハイヤー・パワーの配慮にゆだねる決心をした。

(4) 探し求め、恐れることなく、生きて来たことの棚卸表を作った。

(5) 神に対し、自分自身に対し、いま一人の人間に対し、自分の誤りの正確な本質を認めた。

(6) これらの性格上の欠点をすべて取り除くことを、神にゆだねる心の準備が完全にできた。

(7) 自分の短所を変えてください、と謙虚に神に求めた。

(8) われわれが傷つけたすべての人の表を作り、そのすべての人たちに埋め合わせをする気持ちになった。

(9) その人たち、または他の人びとを傷つけない限り、できるだけ直接埋め合わせをした。

(10) 自分の生き方の棚卸を実行し続け、誤った時は直ちに認めた。

(11) 自分で理解している神との意識的触れ合いを深めるために、神の意志を知り、それだけを行っていく力を、祈りと黙想によって求めた。

(12) これらのステップを経た結果、霊的に目覚め、この話をアルコール依存症者に伝え、また自分のあらゆることに、この原理を実践するように努力した。

『図表で学ぶアルコール依存症』(長尾博　星和書店　2005)より引用

第6章

「男らしさ」と飲酒文化の深い関係

対談　大正大学准教授　田中俊之×斉藤章佳

第４章でも述べたように、アルコール依存症者の９割は男性です。厚生労働省の２００９年の調査によると、20代前半では女性の飲酒率（90・４％）が男性（83・５％）を上回りました。それにもかかわらず、その後依存症になるほど飲んでしまうのは、ほぼ男性であることになります。

そのため、アルコール依存症の治療方法や疾病理解は、男性をマジョリティとして確立されてきました。

男であることと、お酒を飲むこと／飲み続けることには、どのような相関関係があるのでしょうか。

大正大学心理社会学部准教授で、「男性学」研究のトップランナーである田中俊之先生をお迎えして、「男らしさ」というキーワードで飲酒文化を読み解いていきたいと思います。

「俺の酒が飲めないのか！」の謎

斉藤：男性学の領域で、「飲酒と男らしさ」についての研究をされている方はいないですよね。

田中：これまでは聞いたことがないですね。男性学とは、男であるがゆえの生きづらさを扱う学問分野なのですが、そもそも、男性学の研究をしている人間自体が本当に数えるほどしかいないのと、そのテーマだと狭すぎるんだと思います。どうしても日本では「仕事と男」の結び付きが強いので、そういったテーマや、「権力と男」という研究をしている人のほうが多いです。でも、働き方のスタイルと飲み方というのは非常に緊密につながっていますよね。

斉藤：かつては例えば「俺の酒が飲めないのか」というパワーハラスメントがよくありました。酒の力を借りて自分の力を確認したり、ハラスメントをしても、その人の行為責任はなぜか問われない。こうした構造は「酒の席でのことだから」とあまり問題視されてきませんでした。でも、近年の若者の飲み会離れや「忘年会スルー」という風潮が出てくる中で、「男の飲み方」も確実に変わってきたように思います。それは男性自身のジェンダー観の変化や、男性の家事労働への参加、性別役割分業が崩れてきていることと関係があるのかもしれません。

田中：いわゆるホワイトカラー、第三次産業で働く人は、そうした社会の変化を比較的受けやすいと思いますね。一方で、農業や漁業などの第一次産業に従事している人は、小さな共同体の中で仕事をすることが前提ですから、そうした個人主義的な価値観にシフトしていくことは容易ではないと思います。同じ地区で田んぼを作っていたり、同じ船に乗っていて「あ、それ僕は参加しませんから」っていうのはなかなかできないですよね。

でもよく考えてみると、「俺の酒」ってなんでしょうね。飲みたくないですよね（笑）。

斉藤：これまで私が関わってきたアルコール依存症の患者さんの中には、大工さんや建築関係の方が一定数いたんですが、なんとなく腑に落ちました。大工も、棟梁がいて、その下で働く人がいて、というわりと家族的な密なつながりで働くことが求められますからね。「俺の酒が飲めないのか」って言われて、飲めませんとは言いづらそうなイメージがあります。

ただ、全国に1000万人以上いるとされている多量飲酒者、いわゆるプレアルコホリックのメインとなる層は、どんなに酒を飲んでいても朝になればきちんとネクタイを締めて出社するサラリーマン、「ネクタイアル中」と呼ばれる人たちです。

田中：飲んでも朝になったらネクタイを締めて、ちゃんと定時には出社して、まともに働く。それをやれるということがすごいと思います。日本のサラリーマンにとって、「会社に行く」ということはそれほど強い強制力があるわけですよね。

斉藤：朝まで飲んで、すぐ仕事に行く俺、みたいな「できる男イメージ」ってありますよね。今は変わってきていると思いますが、かつてはそれができないと男の集団に入れないというような空気が確実にありました。

田中：冷静にその考え方を検証すると、朝まで飲んで、ほとんど寝ずに職場に行くという行為は、明らかに仕事の質を落としますし、おそらく人間関係にも影響が出るはずです。でも、「それができないと男じゃない」「朝まで飲むのが男だろう」といった、謎の価値観があります。

斉藤：「俺の酒が飲めないのか」「吐いてまで飲め」というのは、完全に体育会系の気合いと根性論ですよね。今考えたらいじめの世代間連鎖と非常によく似ています。私も学生時代はずっとサッカーをやっていて体育会系だったので、気合いと根性の集団に属している期間が長かったです。

われわれの世代は、部活をしていても「休憩中に水を飲むな」「日陰で休むな」といった、今の運動生理学からすると全くエビデンスのないことを強要されていました。試合に負けたら、「あのとき水を飲んだからだ」と言われ、本当に訳のわからない価値観を信じ込まされていました。

大学に入っても、運動部系は「つぶれるまで飲ませろ」と強制される。自分たちもそうされたから、入ってくる人たちにも同じことをさせて、それを勝ち抜いてきた人がいわゆる「男」なんだという考えです。本来、酒が強いか弱いかは、運動能力とは全く関係がないのですが。そういう体育会系に共有されている「男たるもの、酒が強くてナンボ」というイメージは、男の集団の絆を強化してきた側面があると思います。

男らしさを示す手段「達成」と「逸脱」

田中：男らしさを証明する方法は、基本的には二つあると考えられています。一つは

「達成」です。これは社会的に価値のあることを達成する。運動部だったら全国大会に出ることでも、受験生だったらいい大学に受かることでもいいでしょう。就活生だったら一流企業に入社する、もう入社した後だったら出世するということでもいいわけです。社会的に「良いとされていること」を、とにかく成し遂げていく。しかし、競争なのでどうしても負ける人が出てきます。

では、負けた人はどうやって男らしさを証明するかというと、それがもう一つの手段である「逸脱」です。規範やルールをわざと破る、つまり、既定の価値観に縛られていない俺は男らしいだろうというやり方です。この典型が僕らの学生時代にいた不良です。学校で好成績が修められない、勉強ができない、そうすると、学校で居場所を感じられないし価値を認められないから、ルールを破って俺はすごいんだと示す。

先ほど斉藤さんがおっしゃったような「朝まで飲んで仕事をする俺」的な人が働く会社はそれなりの大企業が多いと思いますが、それは、その二つのハイブリッドですね。俺は学歴も社会的地位もあるけれども、悪いこともできちゃうよ、達成も逸脱もできちゃうよということです。中高一貫の男子校などでそのような傾向があると聞いたことがあるのですが、勉強だけできる奴はつまんない奴で、勉強ができるのは当たり前、それプラス、ナンパしたり、髪を染めたり、あるいは一見するとゲームばかりしているようだけど、実は学年で一番成績がいい、といったケースも「達成」と「逸脱」のハイブリッドですよね。

大手企業の宴会芸なんかもそうです。自分は一流大学を出た一流企業の社員なんだけれども、ただ立派なだけじゃなくて、そういうこともできるんだという逸脱のバリエーションの一つが、信じられないぐらいの量の酒を飲むとか、朝まで飲んでもパフォーマンスが落ちないといったことなのではないでしょうか。そのやり方は、健康・社会的信用・家族などを失うリスクを伴う、どう考えてもあまり合理的ではない証明方法なんですけどね。

ただ、このまま行くと破滅するかもしれない、ということ自体が重要なのかもしれません。男性が社会に出てから約40年間働き続けるというルートから降りるためには、大きな病気やケガをする以外には方法がないんですよね。アルコール依存症のように、仕事を失うとか、家族を失うという危機的な状況に引き寄せられるのには、「強制終了ボタンを押したい」という心理もあるのではないかと思います。

斉藤：以前、作家の中村うさぎさんと対談したときに、うさぎさんはずっと買い物依存症で自傷行為とも取れるような整形も繰り返していたのですが、買い物依存を通して学んだことは、依存症の本質は「死と隣り合わせである」ということだと言っていました。ギャンブルには経済的な死、アルコールには身体的な死、薬物には社会的な死が待っています。万引きを繰り返すクレプトマニア（窃盗症）も刑務所に何度も行きますから、社会的な死と言ってもいいでしょう。全ての嗜癖的行動は死と隣り合わせだから、それゆえに人は耽溺するのだというのが、うさぎさんのアディクション哲学です。

うさぎさん自身も、印税を前借りしてブランド物に全部つぎ込んで、最後は、多額の借金をしてまでブランド物を買い漁るところまで行ってしまった。今はもうそこから脱したらしいですが。やっぱり、この死と隣り合わせであるという点が、依存症の本質的な部分だと思いますね。

男はバカにならないと団結できない

斉藤：田中先生は、お酒は飲まれないそうですね。

田中：僕自身は飲まないですね。父親が飲めないのですが、自分もアルコールを分解する酵素がないタイプで、気持ち悪くなってしまいます。だから僕は飲み会に行っても、何も楽しくない（笑）。

飲んでいるとみんな、どんどんバカになっていくじゃないですか（笑）。同じ話をずっとしたり、自慢話もするし、説教臭くなる人もいる。とにかく絡んでくるわけですよ。だから、本当に酒の席の2時間が耐えがたいんですよね。でも、行かないとしょうがない場面もあるので行くわけです。

なんでこの人たちは、好きこのんでバカになってるのかと思っていたら、酒の席ではみんな酔っているから、この仕事を成し遂げなきゃいけないというときに、「そうだそうだ！」「頑張るぞ！」みたいな感じになれるわけですね。僕は飲まないから、しらふで「こんなこと全然、実現性ないですよ」とか「このプランには穴がありますよ」とか「それには協力できないです」とか、平気で言ってしまいそうになるんですけど、酒を飲むのは、酔って一致団結するためなんだと思いました。

斉藤：いわゆる「飲みニケーション」ですね。酒の席で、みんなで取りあえずこれやろうぜという気持ちにさせれば、会社とか組織にとっては物事が円滑に進むことがあるということだと思うんです。

田中：でも、現実にはもうそうしないほうがパフォーマンスは上がるという考え方になってきていますから、家庭の事情や個別の事情を顧みず、一つの目標に向かってとにかく一致団結していくというのは、今だったらパワハラ認定されると思います。

この間、４歳の息子がネットで何年か前のヒーロー映画を観ていたんです。僕が子どもの頃に『宇宙刑事ギャバン』という特撮ヒーローシリーズがあったのですが、そのギャバンと、仮面ライダーと、スーパー戦隊が一遍に出てくるっていう映画で。

彼らも三者三様で、わりと利害の対立があったりして、中盤までごちゃごちゃ揉めているんですけど、一応ヒーローものだから「悪」と戦わなきゃならない。どうやって一致団結するのかな、と思っていたら、最終的にはなんとなく、「あいつが悪いんだろ」って、勝手に合意が形成されていたんですよ。お互いの正義を戦わせて、というプロセスじゃなくて、「俺ら細かいことはわかんないけど、あれが悪みたいだからやっつけちゃおうぜ」っていう流れなんです。驚きました。

でも、少年漫画やアニメの主人公って、よく考えてみたら大概頭空っぽに描かれているじゃないですか（笑）。そういうことにしておかないと、戦ったりできないからなんですよね。何が悪で何が正義かっていうのは、本来簡単には決められないことなんです。だから、バカで細かいことは気にしないってことにしないと、冒険に出たり、敵をやっつけたりなんてできない。彼らを見ていたら、男性がお酒を飲む理由が、なんとなくわかった気がしました。

斉藤：酔っぱらうと、子どもに返って退行できるという面もあります。アルコール依存症の人たちが酔ってどういうメッセージを発しているかというと、「こんなみじめで駄目な俺をなんとかしてくれ」というSOSなわけです。アルコール依存症の人たちは、とにかく周りのケアを引き出すのが上手です。ケアを引き出す達人ですね。

つまり、飲酒行動自体が妻や周りの人からのケアを引き出すスキルとなっている。もしかしたら死んじゃうかもしれないから、放っておけない。それで、周りも手を出さざるを得なくなる。彼らは、そういうことを戦略的にわかってるんです。まさにケア行動を引き出すという名のコントロールです。そういう意味では彼らが生き延びていくためのサバイバルスキルが嗜癖行動です。普段、社会の最前線で頑張っている男の人が、酒を飲むことで退行する、子どもになれるというメカニズムはあるかと思います。

田中：それも非常に納得がいきます。僕が大学院生のときバイトしていた塾の塾長が信じられないぐらい駄目な人で、彼の指示を待っていると何も回らないんです。そうなると何が起こるかというと、みんなで彼をなんとか助けようとする。最も駄目な塾長のために、本来休みだったはずの日に来たり、代わりに日誌を書いてあげる。でもそれは結局、彼に支配されているんですよ。だって、あなたが自主的にやったんじゃないかって話になりますからね。それも一種の権力の発動の仕方で、巧妙ですね。

男は「弱さ」について語りたがらない

斉藤：プレアルコホリックもアルコール依存症の人も、なぜ飲みすぎる必要があるのかを考えると、歯止めがきかない飲酒は、その人の抱えている問題と相関があるんです。本当はしらふで「助けてほしい」「自分のこの思いをわかってほしい」と言語化できればいいんですが、男性は、男らしさのとらわれからそれを言語化して、援助希求するのが苦手だと思います。

私はクリニックに就職した1年目のときに先輩から、「そういう仕事の仕方をしているとバーンアウトするよ。あなたの1年目の課題は、一日に3回職場で先輩でも誰でもいいから助けてと言いなさい。これは業務命令です」と言われたんです。最初は自分が何か患者さんの対応に困っていることがあったとして、それを他者に伝えたからといって解決するんだろうかと思っていました。相談しても、いきなり患者さんの酒が止まるわけじゃないですし、何かその人の生き方が劇的に変わるわけじゃない。だから、相談する意味があるのだろうかと思ったんです。そんなことでは専門職としての力量はつかないだろうと。でも、私も体育会系気質だったので、言われたらやらないといけないと思って、とにかく一日3回、SOS（相談）を出しました。

基本的な体育会系の考え方では、人を頼るのは駄目な奴だったので、困難は自分で解決してやっていくのが真の男らしさだと思っていました。だから、相当勇気が要りました。でも何度目かのときに、初めて率直に困っていることを告白できて、すごく楽になったんです。相談すると、案外周りは助けてくれるし動いてくれる。自分が一人でやらなくても、周りがいろいろアイデアを出したり、力を貸したりしてくれる。「今困っていることない？」と声をかけてくれる。そうなると結局、目の前の対象の方への対応がうまくまわっていくという学習ができたんです。

男性は弱音を吐かないとか、SOSを出せないと言われますが、弱さをオープンにすると、こういうメリット、例えば周りのエンパワーメントになることがあるんだという学習をしていないと、たぶんいつまでたっても実行はできないと思います。

以前、長年酒をやめている当事者から、「斉藤さんの話を聞いていると、昔の良かった話しか出てこない。あなたの弱い話が聞きたいんだ」と率直に言われて、はっとしたことがありました。頭をハンマーで殴られたような感覚とはこのことでしたね。自分の成功体験ばかり話すのは自分に恐れや傲慢さがあるからで、謙虚にならないと自分の弱さはオープンにできない。つまり自分に足りなかったものは謙虚さだったということに気づいたんです。それから1年間は、いろんな人に相談して、相談先の選択の仕方がうまくなりました。そうすると、患者さんとも職場の人とも関係性がすごくよくなっていったんです。自分が変わることで、周囲の景色が大きく変わってきました。

田中：その話は非常に面白いですね。男性学のパイオニアである伊藤公雄先生が、男性の持ちがちな傾向として、「権力」「所有」「優越」の三つの志向性について述べています。競争に勝つ、つまり優越すると権力が持てて、権力が持てるといろいろなものが所有できて、それにはお金、人脈、文化資本といったものも含まれます。そうするとさらに競争に勝ち、さらに大きな権力を持ち、さらにたくさんのものを所有して、どんどん勝ち抜いていける。

社会的に成功している人に限らず、男性は状況を一人でコントロールしなきゃいけないと思う傾向があるんじゃないでしょうか。「優越」がなければ、「権力」も「所有」もなされないわけですから。

斉藤さんが1年目なのに、そういうことを思うのは危険ですよね。その職場においてて状況をコントロールできるようなものがまだないにもかかわらず、状況をコントロールしようとすると、たぶん非常に追い込まれると思うんですよ。

そうした男性の志向性は、アルコール問題が深刻化する要因にもなるんじゃないかと思います。つまり、今確かに依存症っぽくなってきているけれども、これは一人で解決できる程度のことだ、と思い込んでしまうのかもしれません。百歩譲って本人が認めたとすると、それは謙虚さを身に付けたというか、自分がとらわれている男らしさ、問題を自分でコントロールして解決できるはずだという思い込みから抜け出せたということなのだと思います。

アメリカの臨床心理士、テレンス・リアルの『男はプライドの生きものだから』（訳・吉田まりえ　講談社　2000）という本がありますが、この翻訳のタイトルはかなり意訳で、『I Don't Want To Talk About It（それについては話したくない）』が原題です。それによると、男性がうつ病と診断されても、「いや、自分がうつ病のわけがない」と認めないから、なかなか治療が進まない。そして家族も、うつ病が男らしくないものであるととらえて、「うちのパパが、うつ病のわけないでしょう」と言って認めない。だから、本人が「俺みたいな男らしい男が、そんな要素を抱えているわけがない」と言って、余計悪化してしまうことがある。うつ病とアルコール依存症は違いますが、その本に書いてあったことと符合する部分が多いですね。極端なケースになるまで、そのこと自体が認められない。

斉藤：「否認」と呼ばれるものですね。

「否認の病」の背景にある男らしさ

田中：自分の問題、困っていることを認められない心理に、男らしさへのとらわれがあるのではないかと思います。

僕の理解では、日本における「女らしさ」は、他者と協調するのに向いている特性をたくさん持っていることだと考えられていると思います。アルコール依存症に限らず、嗜癖的な行動は非常に自分本位的で、他者との協調性を欠いているから、女性のほうがより問題行動に見えるのが早いと思うんです。だから、男性は破滅的なことになるまで治療を受け入れられないという傾向はありえそうですね。

斉藤：アルコール依存症の教育プログラムではよく「アルコール依存症は否認の病」と言われます。自分に酒の問題があると認められないから、毎度問題が起きていて、周りはやめてくれと思う。でも、本人だけがいい酒だと思っていて飲み続ける。それで、結局は健康問題や事故、家庭内の問題や仕事の問題、犯罪といったアルコール関連問題が出てくる。それを繰り返して、本人がいろいろなものを失うことで、痛みを感じて初めて治療につながる。昔の依存症治療では、生きるか死ぬかのどん底を味わって初めて回復するとされていました。いわゆる「底つき」理論です。

われわれはこの否認に対してどう効果的にアプローチするかを考えてきました。否認は治療に対する抵抗や反発なので、そこは否定せずに両価的な気持ちを考慮しながら「抵抗とともに転がる」という否認への新たなアプローチ方法である「動機づけ面接」という手法も開発されました。

しかし、先ほど田中先生が指摘されたように、否認の背景に「男らしさの呪縛」がある、という視点では今まで見てこなかったので、はっとしました。

「男らしい」と言われたい男たち

田中：これは教育社会学の分野で言われていることですが、例えば男らしさにこだわって逸脱行動に走り、不良になった子がいる場合、彼には「それって男らしくないよ」「18歳にもなって、そんなことしているのはダサくて、もうちゃんとしたほうが男らしいよ」と言うと、対処療法としては結構効くんだそうです。だから、もし「自分は男だから、酒なんかに飲まれていない」と主張することが彼らの男らしさのこだわりを達成しているなら、「いやいや違いますよ、これをきっぱり認められるのが男らしいじゃないですか」と言うことが、もしかしたら効くかもしれないですね。

斉藤：それは重要な逆説的アプローチだと思います。

田中：長期的、根本的な解決にはなりませんが、短期的には効くかもしれない。

斉藤：アルコールではないですが、以前こういうエピソードがありました。依存症の人は再発を避けるために、日々のさまざまなリスクに対する対処行動（コーピング）を実践しながら、今日一日やめるということを積み重ねています。だから、行動化できたのにしなかったのは、うまく対処できたという理解になります。しかし、まだ回復が進んでいない人には、せっかくできたのにあのとき行動化できなかった、損したという気持ちが残ります。この「損した」という認知が、実は再発につながっていくんです。

ある盗撮の常習者が、「男だったら、ここで盗撮しないと男が廃《すた》る」と思ったと言っていました。せっかくできる状況なのに自分はやらなかった。でも、男だったらここでやるべきだろうという気持ちが出てきて行動化するんです。そこで男らしさのとらわれが出てくる。

田中：「据え膳食わぬは男の恥」みたいなことですよね。それなら、説得は効きそうですね。その人に「逆だよ。ここでやらないのが男だ」というのは絶対効きますよ。

斉藤：アルコール依存症者の再飲酒も、飲むときに、男らしさというとらわれの中で飲んでいる人が多いと思います。本当は断酒しないといけないのに、なぜか「ここで飲まないと男が廃る」「ここで飲まなきゃ男じゃない」という思いにとらわれている。

田中：やっぱり意味付けを変えてあげたほうがいいんですね。ジェンダー論からすると賛否両論あると思いますが、こういう現実的な問題の、一種の対処療法としては有効ではないですか。

斉藤：効くと思いますね。「ここで飲まないのが男だよ」と伝えるパラドキシカルな精神療法。長年のサラリーマン生活の中で刷り込まれた発想を逆転させるような、ジェンダーの問題からのアプローチですね。

クレプトマニア（窃盗症）の人は女性が大半なのですが、「ここで盗まないと女が廃る」という人はあまりいない。女性のアルコール依存症の人も、「ここで飲まないと女らしくない」とは思っていないでしょう。やっぱり「男たるもの」という縛りがあると思いますね。

田中：なんでもかんでもジェンダーの視点で見られるわけではありませんが、その視点を入れたときに、これまでわからなかったことに、ぱっと光が当たるようなことはあるかもしれないですね。

斉藤：そう考えると、男らしさのとらわれから解放されるというのは、依存症から回復していった男性たちを見るとよくわかります。彼らは確かにマッチョじゃない。角が取れて非常に楽に生きています。私も回復を続けている人と話をすると、逆にこっちが病気なんじゃないかと思うぐらい、いろんな思考のとらわれの中で生きていると感じます。

要は男社会のパワーゲームから降りて、自分がどう生きるのが自分らしいのか、楽に生きていけるのかというところですね。もともとあったジェンダー観のとらわれに、どこかで気づいて、それを手放して回復していくんだと思います。

田中：なるほど。ということは、逆に考えれば本来その人はそういう解き放たれた人生を送れる可能性もあったのに、「男とはこうあるべき」という考えに巻き込まれた。飲酒が、そうした考えを強化する儀式として定期的に行われて、その価値観に疑いを持たせなくしていく強制の仕組みとして機能しているという可能性はありますよね。

斉藤：そうですね。今、依存症の当事者研究を東京大学の熊谷晋一郎先生のグループが行っていますが、男性依存症者の男らしさのとらわれからの解放という視点は、非常に重要になってくると思います。

男性のセルフヘルプとＡＡの共通点

田中：依存症者でなくても、男性のセルフヘルプのグループは実は存在しているんです。メンズリブの動きの中で生まれたのですが、弱音を吐いて、自分たちが男であることでつらかったことや苦しんでいることを、みんなで聞いて共有し合う、そしてちゃんと告白できた人には祝福してあげるという活動が、地道に続いています。

斉藤：それは、ＡＡと似ていますね。ＡＡとは、「アルコホーリクス・アノニマス」という、アメリカで始まったアルコール依存症の人たちが酒をやめるためのセルフヘルプグループです。日本にもたくさんの自助グループがあって、依存症の人たちが、決まった時間と場所で集まり、12のステップを使って回復に取り組んでいます。

ＡＡには「認めて」「信じて」「お任せ」という三つのステップがあります。自分はアルコール依存症であること、酒を自分でコントロールしようとしたけど、結局、酒にコントロールされていた、そういう現実があることを、まずちゃんと認めようというのが、無力を認めるという最初のステップです。

その次は自分を超えた大きな力（ハイヤーパワー）を信じるということです。依存症の人たちの多くは、人間関係の中で逆境体験を経験しています。でも人間はさまざまな過去がある上に、今の自分があるわけです。そんなつらい過去もいったん受け入れ、目に見えない大きな力を信じてみようというステップです。私はここに仲間を信じるということも入っていると考えています。

最後はお任せで、手放すステップとも言われますが、今まで自分が正しいと思っていた価値観から自由になろうということです。「ハイヤーパワー」という目に見えない大きな流れに自分の生き方を委ねる。

この三つのステップを経ていくことで今日一日、酒が止まる。酒が必要じゃない生き方、酔わなくてもいい生き方を獲得することができる。もしかしたら、男らしさからの解放にも、こういう三つのステップが重要なのかもしれません。

群れられない男たち

田中：僕はサラリーマンや定年退職者の聞き取り調査をやっていてわかったんです

が、友達を信じて任せようと思っても、サラリーマンってそもそも友達がいないんですよ。一緒に飲みに行っている人は、友達と呼べるような相手ではないんですよね。酒の力を借りて盛り上がっているだけなので、「実は本当は……」みたいな話はできないんです。趣味があれば、その趣味の仲間と趣味の活動を通じながら、悩みを吐露して、「認めて、信じて、任せる」ということができるかもしれません。だから、その三つのステップをどう実装していくか、どこからどう手を付けていけばいいのかとなると、難しいかもしれないですね。アルコールの問題にしても、行政がその相談窓口として機能することは、あまり現実的ではないだろうなと思います。

斉藤：男性は相談しないでしょうね。以前、ある自治体で性暴力の講演をしたときにもその話になりました。男性は、相談窓口を作っても相談してくれないんですよ、って。その団体は相談員の方が全員女性だったので、相談員に男性も加えたほうがいいのかもしれないということで、男性スタッフに入ってもらったりもしたのだけれど、それでも結局相談自体が来ないから、やめてしまったと。

田中：全国には男女共同参画センターというのがあるんですが、そうした電話相談窓口にも、電話をかけてくるのはほとんど女性なんです。

男女共同参画センターは、1999年に男女共同参画社会基本法ができて改組されたのですが、前身は女性センターなんですよね。もともとは女性が対象として作られたのですから、そもそも男性専門の窓口というのは限りなく少ない。そのうえ相談自体が来ない。利用者のいないものに行政は予算を割かないので、相談窓口は少ないまま。少ないので認知されることもなく、男性固有の問題を受けて、例えばどういった機関につないでいくか、というようなノウハウの蓄積もなされないわけです。ウーマンリブに対してメンズリブが盛り上がらなかったように、男性は自身の生きづらさや葛藤を、表面化しづらいのが現状ですよね。

斉藤：なぜ、メンズリブの運動は盛り上がらないのでしょうか。

田中：ウーマンリブが続く理由は明白で、女性は差別を受ける側だから、その被差別性がある程度明白なのです。例えば、賃金の格差一つ取ってみても、正社員の女性と男性とを比べると7対10で、これに対する怒りを共有できる人はかなりいる。でも、男性の問題は、社会の中で優位な側だから訴えにくい。「実は、これは問題なんです」といっても、「いや、女性のほうが大変ですよね」とか、「セクシュアル・マイノリティはもっと大変です」という話になりがちだし、本人たちも優位な側にいるから自覚しにくいということもある。だから、つながりをつくろうといったときにも、問題設定がしにくい。それは男性学の理解がなかなか進まない現状ともつながってきます。

先述した男性学の伊藤公雄先生たちが90年代にメンズフェスティバルという男性が集まる大会を開いたときのキャッチフレーズが、「もっと群れよう、男たち」だったんです。最初は、男だからということで共通認識を持って集まってわいわいできるんですけど、だんだん、メンズリブのグループの中で、お互いの違いがわかってきてしまう。まず世代による問題意識の違い。90年代当時だと、若い層はオタクの問題を扱いたいと考えているのに、上の世代は夫婦関係や仕事のことを扱いたい、あるいはもっとこの社会を変えていくんだという意識を持っていた。そもそも同性愛者の人もいるから、同性愛／異性愛という違いが際立ってきたりもしました。

最初は、男というだけで、もっと一緒に群れようと言っていたんですが、男が男だというだけで群れようとしても、やっぱり駄目で瓦解していくんです。あとは、メンズリブ運動に限らないですが、「誰がリーダーなの？」「誰が仕切るの？」「あいつ、むかつくよね」「あいつ、威張ってるよね」という話になっていく。

何者でもない「無名」な存在であること

斉藤：その点、自助グループのＡＡには「12の伝統」と呼ばれるものがあって、指導者を置かず、あらゆる団体から独立した立場を貫きます。外部からの献金も受けないし、広報もしない。長い歴史でグループができたりつぶれたりを繰り返す中で、酒をやめたいという願いを持っている人たちが、ひとつのコミュニティとして生き残るために自然に培ってきた伝統なんですよね。

その中で重要なのは「アノニミティ」という考え方です。要は無名であること。社会ではいろいろな肩書きがありますが、このグループでは肩書きや住んでいるところ、年収、年齢も性別も関係なく、酒をやめられなくなって、どうにもならなくなってしまった一人のアルコール依存症者として受け入れられます。何者でもないということが大事なので、そこでは、本名を名乗る人もいますが、アノニマスネームといって自分のことをニックネームで呼びます。無名であるということは、もしかしたら男性にとってはすごく大事なのかなと思いました。

田中：そうですね。そんな気がします。

斉藤：男、特にサラリーマンは、名刺を出して、相手が自分より上か下か、年上か年下かという序列を条件反射で考えます。でも、自助グループでは関係なくて、みんな依存症。何年やめていると知っていても、別にそれを自慢することもありません。古い人たちは今日新しく来た人を見て、「自分も昔こうだった。だから、長く断酒していても今日一日が重要だ」と思う。新しい人は、先ゆく仲間をみて、断酒できるとちゃんとまっすぐな姿勢で歩けるし、人と目を見て話せるし、目線や歩き方、しゃべり方が全然違う、と回復のイメージが持てる。かつ、ここでは誰もが同じ依存症者だから威張らなくてもいいし、肩肘張らなくていい。自助グループにとって、無名であること、アノニミティを守り続けてきたことはすごく大きいと思います。

田中：でも、それはもう依存症になってしまった人たちの回復だから、その手前でなんとかできないですかね。メンズリブは、やっぱり男という共通項だけで集まっても難しかった。

無名的なつながりというと、やはり趣味の縁みたいなものですかね。今の時代だったら、ネットで気軽につながれますし。「オタク」の語源って、オタク同士が本名を名乗らないで、「おたくはどこから来たんですか」「おたくは……」って呼び合っていたという説がありますが、それこそ「無名」ですよね。

斉藤：そうですね。まさに、オタクは一種のアノニミティですね。

田中：趣味の縁は全人格的に付き合う必要がないから、今のように、趣味も多様化して一致団結することが難しい時代に、オタク的な生き方は救いかもしれない。

斉藤：あるジャンルを愛好する者同士が、肩書きとか年齢とか性別を明かさずに、ただただ好きなものについて語り合える、というSNSの場などは、うまく機能すれば、「男らしさの呪い」から解放される場となりえますね。

細くゆるくつながる

田中：僕は、運動は苦手なんですけど、野球をやっていました。チームを組まなくても、適当に人が集まったら試合ができる仕組みがあればいいのになと思うんです。グラウンドを開放していて、サッカーだったら22人集まれば、じゃあ試合しようとなり、18人いれば、なんとなく野球やって、特に名前を名乗ることもなく、終わったら、「じゃあ、お疲れさまでした」と言って帰っていく、みたいなことができたらいいと思います。

斉藤：そういうゆるい感じ、いいですね。

田中：今だったらオンラインで野球ゲームとかサッカーゲームとか将棋とかできるのかもしれないですけど、体を動かしたほうが気持ちいいじゃないですか。そういう、草野球とか草サッカーの、もっと「草」なやつがあるといいですね。野良野球みたいな（笑）。途中で帰る人がいても、増えてもいいし、出入り自由だったら面白い。ゲーム性が出ていいですね。

斉藤：そう。「～ねばならない」ということを限りなくなくす。

田中：もしかしたら、今の若者はオンラインゲームとかでやっているのかもしれないですが、そういう細いつながりをいっぱいつくっていけばいい気がします。

僕は市民講座で話す機会もあるのですが、来ている女性たちは、十年来の親友かというくらい親しげにしゃべっています。「知り合いですか？」と聞くと、「いや、今日会いました」という答えが返ってくる。男の人は、始まるまで本当にしーんとしていて、終わると一目散に帰っていく。でも、その講座のテーマは、地域で友達をつくろうという内容だったりするんですよ（笑）。

斉藤：男性ばかりの性犯罪者の治療グループでも、こちらから枠組みを決めないとしゃべらない。例えば、最初の導入は二人一組で近況を分かち合うとか決めないと、横の人と一度もしゃべらずに帰るというケースも多いですね。

田中：やっぱり男性は雑談が苦手でうまくできない。だから、男の人もちょっと、天気の次の話題、もう一手ぐらい持っていてもいいんじゃないかと思います。男性にとって、おしゃべりは無駄なものという意識がある。おしゃべりする訓練がされてないから、なかなか難しいところがあるのかもしれないですね。

斉藤：女性同士の場合は、初対面でも、会ったその場でしゃべったりするぐらいだったらわりとできますよね。

田中：そういう風に角を立てないで、そこそこ会話を交わす能力、日本の社会ではいわゆる「女らしさ」ととらえられている、他人と協調する能力を、男性ももうちょっと身に付けてもいいのかなと思いますね。

斉藤：それがまず第一段階でできないと、さらに突っ込んで、自分の問題や思いを話すことは到底できないですよね。それは今の学生たちもそうですか。

田中：学生たちも多様化しているので、男子はこう、と一つの傾向をとらえるのは非常に難しいですね。それでも皆に共通しているのが「とにかく就職はする」ということです。男子は就職して、就職したら定年まで働くんだということは揺るがない。日本において、彼らには「働かない」という選択肢は与えられないんだな、と、改めて「男らしさ」の縛りの強さを感じます。

そう考えると、彼らがその後の人生のどこかで、アルコール問題を抱えることは十分にありえますよね。40年働くことを、しらふで乗り切るのはなかなか過酷なことじゃないですか。心を麻痺させる手段の一つとして、お酒を飲むという選択肢はかなり上位に来る気がします。

斉藤：今日お話しして、アルコール問題の背景には、「男らしさ」という心理が少なからず関係していると感じました。

アルコール依存症をジェンダーの問題として正面からアプローチしてこなかったのは、アルコール臨床に関わっている人にも男性が多いからかもしれません。要は男性の臨床家が、そこに向き合うとしんどい部分があるんでしょうね。結局は自分の問題として向き合うことになるため、だから気づいてはいたけれど、深掘りしてこなかったという面もあったのではないでしょうか。自分自身も含め、そこは大きな気づきでした。

アルコール問題へのアプローチとして、「弱音を吐けない」「認めない」「相談できない」「つながれない」という、「男らしさ」に根ざした特性を理解することは非常に有効だと思います。

田中俊之《たなかとしゆき》　プロフィール

1975年生まれ。大正大学心理社会学部人間科学科准教授。博士（社会学）。男性学の視点から、男性の生き方の見直しをすすめる論客として、各メディアで活躍中。著書に『男性学の新展開』『男がつらいよ――絶望の時代の希望の男性学』『〈40男〉はなぜ嫌われるか』『男が働かない、いいじゃないか!』『男子が10代のうちに考えておきたいこと』などがある。

あとがきにかえて
私を依存症治療の現場へとつなげてくれた、沖縄の「アル中さん」のこと

ここまで読んでくださった方の中には、「飲まずにはいられない」ご自身の本当の気持ちや悩みが、うっすら見えてきた方もいるのではないでしょうか。飲み方を見直す過程で、生き方をとらえ直す機会が訪れたとしたら、筆者としてそれに勝る喜びはありません。

本書の最後に、筆者とアルコール依存症との不思議な縁についてお話しさせていただきたいと思います。少し長くなりますが、お付き合いください。

私は高校時代ひたすらサッカーに打ち込む毎日で、本気でプロを目指していました。県の優秀選手にも選ばれ、日本に三浦知良（カズ）選手がブラジルから帰国しちょうどJリーグが盛り上がってきた頃に、両親に頼み込みブラジルにサッカー留学をさせてもらいました。現地の家庭にホームステイして、トップチームの一つで練習し

たり試合したりできるというものでした。帰国後はＪリーグのプロテストを受け、サッカー選手になる未来を当たり前に思い描いていました。

しかし、私には大きな挫折が待っていました。半月板損傷を含む左膝の大ケガをしてしまったのです。サッカーができなくなった私は、唯一他者よりも優れていると感じることができるものを失い、まるで裸で外を歩いているような感覚でした。

サッカーができなくなったストレスからか、食欲が抑えきれなくなった私は、ブラジル留学で学んだ「体重・体脂肪をコントロールできる選手が一流プレイヤー」という刷り込みから逃れるために、チューイング（食べ物を胃に入れずに吐き出す）という行動を繰り返すようになりました。

本来、体重のコントロールはプレーの質を上げるための手段であったはずなのに、それ自体が目的に入れ替わってしまいました。依存するものが、サッカーから食べ物に変わったのです。ごく少量は普通に食べて、それ以上は食べすぎになると思い込み、口に入れて嚙んでから飲み込まずに吐き出す。そうすると、脳は食事をしたと錯覚するのですが、実際には栄養は摂取できないため、結果的に筋力も体力も落ちてしまいました。

厳しいリハビリが終わって復帰したものの、そのような状態でケガをした左足をかばいながらプレーをしていたら、今度は右足の半月板も損傷してしまいました。また手術してリハビリか、とこのときはさらに絶望しました。高校最後の試合にはなんとか出られましたが、「ケガさえしなければ……」と思いました。この「あのときケガさえしなければ……」という思いはその後もずっと残り、言い訳をするための思考パターンとして自分の中に定着してしまうことになります。

私の中では「本当はもっとできるはずなのに」という思いがありました。でも、「ケガのせいで」というとらわれからずっと抜けられずにいたので、大学に行ってもサッカー部には入らず学生生活を過ごしました。もう体重コントロールをする必要はないのですが、20歳くらいまで、チューイングはストレスがたまると時々やっていました。今考えると、それがストレスへの対処行動になっていたのでしょう。

大学は社会福祉学や保健福祉学を専攻する学部に進学したのですが、そこで明確に何かをやりたくて入学したわけではないので、将来の方向性も定まらず、卒業後の進路は全く決まっていませんでした。

大学最後の春休みに卒業旅行のつもりで、アルバイトで貯めた10万円ほどを持って逃げるように一人で沖縄へ向かいました。現地に着いて、桜坂という繁華街へ飲みに行き、地元のおじさんらしき人に声をかけられました。大きなリュックを背負っていたので、旅行者だとすぐわかったのでしょう。「おごるから」と言われ、50〜60代くらいの男性3人と一緒に、つぶれるまで飲み続けました。

「オトーリ（御通り）」という宮古島に古くからある習慣で、テーブルに置けない三角形のグラスで、30度近くある「菊之露」という宮古島の泡盛をストレートで一人ずつ飲んでいきました。最後まで残った人が勇者という飲み方です。私も若かったですし、酒も弱い方ではなかった。もともと体育会系でしたから、絶対に負けないと思って飲んでいました。

でも、私以外の皆は顔色ひとつ変えず酒を飲んでいきます。私には泡盛の耐性があまりなかったせいか、一升瓶の2本目以降は全く記憶がありません。将来の目標がないことから逃げて旅行に来ていたので、酒が進み、最後はブラックアウト状態になりました。

気づいたときには朝で、桜坂の通りで寝ていました。お金も持ち物も全てなくなり、まさに着の身着のまま、という状態でした。

親は就職活動をちゃんとしているだろうと信じていたはずなので、沖縄に行くことは誰にも言っていませんでした。万一親に連絡されてしまったらと思うと、罪悪感や後ろめたさから警察には行けませんでした。

どうしていいかわからず、近くの公園で3日間くらい、ただひたすらベンチに座っていたら、ホームレスらしき人に声をかけられました。「お前さん、そこで何をしているんだ」と聞かれたので「観光で来た」と答えたら「3日前からそこにいただろ」と言われてしまいました。

そこから不思議と、自身のそれまでのことを語り始めていました。サッカーで挫折して、大学時代は過去の栄光にすがり、全て周りのせいにして、やりたいことも見つからず、逃げて沖縄旅行に来たら身ぐるみ剝がされてしまった。どうしていいかわからず、ここにたどり着いた……全部、洗いざらい話しました。そのホームレスの人はずっと黙って聞いていてくれました。

体育会系の「気合い」と「根性」の世界で生きてきたので、「弱音を吐くのは弱い奴だ」「男らしくない」と言われ続けてきて、他人に悩みを打ち明けたことはそれまでありませんでした。自分がどん詰まりに直面したとき、利害関係がない人が声をかけてくれたことによって、生まれて初めて心の裡《うち》を正直に話すことができたのです。後から振り返ると、私にとって、これが人生最初のカウンセリング体験でした。

彼からは特に何のアドバイスもありませんでした。ただ何も言わずに、賞味期限切れのコンビニのミックスサンドイッチをくれました。3日ぶりの食事で、それはもう、とてつもなくおいしかったです。そのせいか、今でもサンドイッチは大好きです。

そのホームレスの人にカウンセリングをしてもらったことで、自分の中である程度、心の整理がついたのか、そこから仕事と宿を求めて沖縄本島を徒歩で一周し、1カ月ほどで帰りの旅費を稼ぐことができました。この経験を通して、過去の自分と決別して、新しい自分で生きて行くという決断ができつつありました。

その後、2002年11月に榎本クリニックに就職しました。そのときはアルコール依存症治療では日本で非常に有名なクリニックということも知りませんでした。ちょうど榎本クリニックのアルコール依存症を担当するフロアに欠員があったので、そこへ配属されました。当時は、正直に言えばアルコール依存症には全く興味がありませんでしたが、今から思えば沖縄の公園で出会ったホームレスの人たちの多くは、アルコール依存症や何らかの依存症だったと思います。みんなで宴会しながら、「酒で自分の人生は狂ってしまった」とか「ギャンブルで自己破産した」と話していました。もしかしたら、薬物依存の人もいたかもしれません。沖縄での経験とこの仕事との不思議なつながりを感じています。それ以来20年近く、アルコールをはじめ、ギャンブル、万引き、痴漢など、あらゆる依存症治療に携わってきました。

アルコール依存症の臨床を始めてから、亡くなった父方の祖父も実はアルコール依存症だったのではないかと気づきました。沖縄のホームレスの人たちより前に、自分はすでにアルコール依存症の人に出会っていたのです。

依存症の当事者たちから学ぶことはたくさんあって、彼らは病気が進行していくとどんどん孤独になっていき、周囲との関係を断っていきます。最後は自ら死を選んでしまうような人もいます。一方で、回復する人は、依存症という病気で失った人間関係、つながりを少しずつ取り戻していきます。依存症の人たちが回復していく姿はとても魅力的で、人が変わる瞬間に立ち会えることは、この仕事の大きなやりがいの一つです。

「アディクション（依存症）」の反対は、「コネクション（つながり）」と言われます。

本書も、久里浜医療センターの湯本洋介先生と岩原千絵先生、大正大学の田中俊之先生、自らもアルコール問題の当事者であった担当編集者のHさんなど、さまざまな人とのつながりをもとに完成しました。

カバーには漫画家・吾妻ひでお先生がご自身のアルコール依存症による入院生活を描いた『失踪日記2　アル中病棟』のイラストを、ご遺族のご快諾により使わせていただきました。

改めて、この本に関わってくださった方々、そして今まで出会ってきた多くのアディクト（依存症者）と、現在断酒3年の古くからの友人に感謝したいと思います。

今日一日
「JUST FOR TODAY」
斉藤章佳

参考文献

『アルコールとうつ・自殺
――「死のトライアングル」を防ぐために』
松本俊彦　岩波書店　2014

『人はなぜ依存症になるのか
――自己治療としてのアディクション――』
エドワード・J・カンツィアン　マーク・J・アルバニーズ／訳・松本俊彦
星和書店　2013

『今すぐ始めるアルコール依存症治療』
樋口進　法研　2019

『市民のためのお酒とアルコール依存症を理解するためのガイドライン』
監修・樋口進　著・長徹二　慧文社　2018

『図表で学ぶアルコール依存症』
長尾博　星和書店　2005

『よくわかる依存症
――アルコール、薬物、ギャンブル、ネット、性依存』
榎本稔　主婦の友社　2016

『アルコール依存症に関する12章
――自立へステップ・バイ・ステップ』
斎藤学　有斐閣　1986

『アルコール依存症は治らない　≪治らない≫の意味』
なだいなだ　吉岡隆　中央法規　2013

『上を向いてアルコール 「元アル中」コラムニストの告白』
小田嶋隆　ミシマ社　2018

『アル中ワンダーランド』
まんしゅうきつこ　扶桑社　2015

『失踪日記2　アル中病棟』
吾妻ひでお　イースト・プレス　2013

装画
吾妻ひでお
(『失踪日記2 アル中病棟』　イースト・プレス　2013)

アートディレクション
江原レン (mashroom design)

デザイン
時川佳久 (mashroom design)

編集協力
西野風代

斉藤章佳（さいとう・あきよし）

精神保健福祉士・社会福祉士。大森榎本クリニック精神保健福祉部長。1979年生まれ。大学卒業後、アジア最大規模といわれる依存症施設である榎本クリニックにソーシャルワーカーとして、アルコール依存症を中心にギャンブル、薬物、摂食障害、性犯罪、児童虐待、DV、クレプトマニアなどあらゆるアディクション問題に携わる。その後、2016年から現職。専門は加害者臨床で「性犯罪者の地域トリートメント」に関する実践、研究、啓発活動を行っている。また、小中学校での薬物乱用防止教室、大学や専門学校では早期の依存症教育にも積極的に取り組んでおり、全国での講演も含めその活動は幅広く、マスコミでもたびたび取り上げられている。著書に『性依存症の治療』『性依存症のリアル』『男が痴漢になる理由』『万引き依存症』『「小児性愛」という病―それは、愛ではない』がある。

しくじらない飲《の》み方《かた》

酒《さけ》に逃《に》げずに生《い》きるには

2020年3月10日　第1刷発行

著　者　斉藤章佳《さいとうあきよし》
発行者　茨木政彦
発行所　株式会社　集英社
〒101-8050 東京都千代田区一ツ橋2-5-10
電話　編集部　03-3230-6143
読者係　03-3230-6080
販売部　03-3230-6393（書店専用）
印刷所　中央精版印刷株式会社
製本所　加藤製本株式会社

ISBN978-4-08-788033-5　C0095

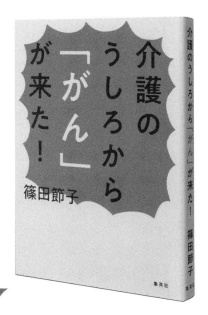